CONTRIBUTIONS A L'HISTOIRE

DE L'INTERNATIONALE SITUATIONNISTE

ET SON TEMPS

VOL. I : LA TRIBU, JEAN-MICHEL MENSION

JEAN-MICHEL MENSION

La Tribu

ENTRETIENS AVEC
GÉRARD BERRÉBY
&
FRANCESCO MILO

EDITIONS ALLIA
16, RUE CHARLEMAGNE, PARIS IVᵉ
1998

INTERNATIONALE LETTRISTE

N°.2

manifeste

la provocation lettriste sert toujours à passer le temps.la pensée révolutionnaire n'est pas ailleurs.nous poursuivons notre petit tapage dans l'au-delà restreint de la littérature,et faute de mieux-c'est naturellement pour nous manifester que nous écrivons des manifestes.la désinvolture est une bien belle chose.mais nos désirs étaient périssables et décevants.la jeunesse est systématique, comme on dit.les semaines se propagent en ligne droite.nos rencontres sont au hasard et nos contacts précaires s'égarent derrière la défense fragile des mots.la terre tourne comme si de rien n'était.pour tout dire, la condition humaine ne nous plaît pas.nous avons congédié iaou qui croyait à l'utilité de laisser des traces.tout ce qui maintient quelque chose contribue au travail de la police. car nous savons que toutes les idées ou les conduites qui existent déjà sont insuffisantes.la société actuelle divise donc seulement en lettristes et en indicateurs,dont andré breton est le plus notoire.il n'y a pas de nihilistes.il n'y a que des impuissants.presque tout nous est interdit.le détournement de mineurs et l'usage des stupéfiants sont poursuivis comme, plus généralement,tous nos gestes pour dépasser le vide.plusieurs de nos camarades sont en prison pour vol.nous nous élevons contre les peines infligées à des personnes qui ont pris conscience qu'il ne fallait absolument pas travailler.nous refusons la discussion.les rapports humains doivent avoir la passion pour fondement,sinon la terreur.

    sarah abouaf,serge berna, p.j.berlé, jean-l.brau, leibé michel dahou, guy-ernest debord, linda. françoise lejare, jean-michel mension, éliane papaï, gil j wolman

notice pour la fédération française des ciné-clubs

éclaircissement sur le film "hurlements en faveur de sade".
le spectacle est permanent.l'importance de l'esthétique fait encore,après boire, un assez beau sujet de plaisanteries.nous sommes sortis du cinéma.le scandale n'est que trop légitime.jamais je ne donnerai d'explications.maintenant je ne toute seule avec nos secrets. A L'ORIGINE D'UNE BEAUTE NOUVELLE et plus tard dans le grand désert liquide et borné de l'allée des cygnes (tous les arts sont des jeux médiocres et qui ne changent rien) son visage était découvert pour la première fois de cette enfance qu'elle appelait sa vie.les conditions spécifiques du cinéma permettaient d'interrompre l'anecdote par des masses de silence vide. Tous les parfums de l'arabie.l'aube de villennes. A L'ORIGINE D'UNE BEAUTE NOUVELLE. mais il n'en sera plus question.tout cela n'était pas vraiment intéressant. il s'agit de se perdre.

    guy ernest debord.

liberté PROVISOIRE
bien sûr la nuit tu rêves si tu pouvais toujours dormir mais la vie menace à chaque angle il y a des flics et des indics dans les bistros les filles de ton âge sont marquées par la jeunesse.

    gil j wolman

extraits de la presse à propos de l'affaire chaplin.
les feux de la rampe ont fait fondre le fard du soit disant mime génial et l'on ne voit plus qu'un vieillard sinistre et intéressé.(finie les pieds plats-

29/10/52.tract lancé par l'internationale lettriste à la réception de chaplin à Paris).

les lettristes signataires du tract contre chaplin sont seuls responsables du contenu outrancier et confus (jean isidore isou. combat 1/11/52.)

nous croyons que l'exercice le plus urgent de la liberté est la destruction des idoles,surtout quand elles se recommandent de la liberté...les indignations diverses nous indiffèrent.il n'y a pas de degrés parmi les réactionnaires.nous les abandonnons à toute cette foule anonyme et choquée.(position de l'internationale lettriste.combat 2/11/52)

nous nous passionnons si peu pour les littérateurs et leurs tactiques que l'incident est presque public.c'est vraiment comme si jean isidore isou ne nous avait rien été...(guy ernest debord-mort d'un commis-voyageur-internationale lettriste N°1)

grève générale
il n'y a aucun rapport entre moi et les autres.le monde commence le 24 septembre 1934.j'ai dix huit ans, le bel âge des maisons de correction et du sadisme a enfin remplacé dieu. la beauté de l'homme est dans sa destruction.je suis un rêve qui s'teroit son rêver.tout acte est lâcheté parce que justification.je n'ai jamais rien fait.le néant perpétuellement cherché, ce n'est que notre vie. descartes a autant de valeur qu'un jardinier.il n'y a qu'un mouvement possible: que je sois la pente et décerne les boutons.tous les moyens sont bons pour s'oublier suicide,peine de mort,drogue,alcoolisme,folie.mais il faudrait aussi abolir les porteurs d'uniforme,les filles de plus de quinze ans encore vierges, les êtres réputés sains et leurs prisons.si nous sommes quelques uns prêts à tout risquer,c'est parce que nous savons maintenant que l'on a jamais rien à risquer et à perdre.aimer ou ne pas aimer tel ou telle, c'est exactement la même chose.

    jean michel mension.

    fragments,de recherches pour un comportement prochain.

la nouvelle génération ne laissera plus rien au hasard

    gil j wolman

de toutes façons on n'en sortira pas vivante

    jean michel mension

l'internationale lettriste veut la mort,légèrement différée,des arts.

    serge berna.

délibérément au-delà du jeu limité des formes,la beauté nouvelle sera DE SITUATION

INTERNATIONALE LETTRISTE
debord.

Impassible homme de marbre,
il mit un pied
sur l'escalier du même métal.
Salut Guilbert!

       grève générale

il n'y a aucun rapport entre moi et les autres. le monde commence le 24 septembre 1934. j'ai dix-huit ans, le bel âge des maisons de correction et le sadisme a enfin remplacé dieu. la beauté de l'homme est dans sa destruction. je suis un rêve qui aimerait son rêveur. tout acte est lâcheté parce que justification. je n'ai jamais rien fait. le néant perpétuellement cherché, ce n'est que notre vie. descartes a autant de valeur qu'un jardinier. il n'y a qu'un mouvement possible : que je sois la peste et décerne les bubons. tous les moyens sont bons pour s'oublier : suicide, peine de mort, drogue, alcoolisme, folie. mais il faudrait aussi abolir les porteurs d'uniformes, les filles de plus de quinze ans encore vierges, les êtres réputés sains et leurs prisons. si nous sommes quelques-uns prêts à tout risquer, c'est parce que nous savons maintenant que l'on n'a jamais rien à risquer et à perdre. aimer ou ne pas aimer tel ou telle, c'est exactement la même chose.
Jean-Michel Mension

*Tu as signé ce texte dans le n°2 de l'*Internationale lettriste, *paru en février 1953. Tu avais 18 ans…*

Oui, mais en fait, je suis arrivé au "quartier" plus jeune, je devais avoir seize ans tout juste. Je suis arrivé là parce que ce qui n'était pas le quartier me déplaisait de plus en plus, le lycée particuliè-

C'est à la fête de l'Huma de 1933 que les camarades Robert Mension et Rose Fuchsmann décidèrent d'avoir un enfant. Lors de la contre-manifestation du 9 février 1934, Rose, enceinte, se fit tirer dessus. Ils nous rateront. Ma première photo, nu, sera prise à Montreuil en juin 1935 à une fête du Parti.

rement et que je cherchais un lieu où je pourrais être libre. C'était un univers qui me plaisait, parce que celui de mes parents me déplaisait. Mes parents étaient de vieux militants communistes — vieux par l'ancienneté, ils avaient commencé très jeunes. Mon père était permanent, ma mère était permanente technique, répartition des tâches bien connue.

Dans quelle section du parti communiste ?

Pas exactement au parti communiste, dans une organisation sportive, une fédération qui en était très proche. Mon père était l'homme du Parti dans cette organisation.

Où ça ?

A Paris. Je suis né à Paris en 1934, mon père est né à Paris, ma mère est née à Paris, et... mes grand-mères ne sont pas nées à Paris : l'une, Juive russe, est née au fin fond de l'Ukraine, et l'autre est née en Picardie ou quelque chose comme ça, je ne sais plus.

Comment s'était passée ton enfance avec ta famille à Paris avant ton arrivée au quartier ?

Ça s'est très mal passé, mais ce n'est pas la faute de mes parents, c'est la faute de la période. Je me souviens peu de l'avant-guerre puisque j'avais cinq ans presque exactement à la déclaration de guerre. J'ai un premier souvenir : dans une maison de l'Yonne, j'avais été opéré de l'appendicite et mon cousin s'était cassé un bras... Ils lui avaient mis une plaque, c'est comme ça qu'on l'a identifié ensuite, quand on a retrouvé son corps à

Buchenwald après la guerre. Je me souviens très bien de la tête de mon père quand il a ouvert *L'Humanité* le jour du pacte germano-soviétique : il est devenu livide. C'est l'un des premiers chocs que j'ai ressentis. A son retour de l'armée, mon père est rentré immédiatement dans la clandestinité, contrairement aux directives du parti communiste de l'époque. Je me suis donc retrouvé avec ma mère, et un jour une femme est arrivée en larmes, disant : "On a arrêté Auguste Delaune". On voit des stades Auguste-Delaune un peu partout en France, particulièrement dans les municipalités communistes. C'était le responsable national de la F.S.G.T., Fédération sportive et gymnique du travail ; mon père était responsable de la région parisienne, et c'était son grand copain. Alors ma mère m'a fait mon premier et mon dernier cours de sécurité, en m'apprenant cette règle fondamentale : "N'avouez jamais." Elle m'a expliqué qu'il fallait que je dise que je n'avais pas revu mon père depuis son départ à l'armée. C'est une règle qui m'a énormément servi à ce moment-là, qui a servi aussi à mon père, et à moi-même dans d'autres circonstances. En plus, ma mère était juive, mais à l'époque elle était tellement peu… juive. Elle avait commencé à militer dans les Jeunesses communistes à dix-sept ans. A l'époque on ne pensait pas qu'il y aurait ce problème juif avec l'intensité qu'il a eu, ce problème dramatique, donc on en a peu parlé. Mais elle m'avait tout de même dit : "Si on te pose la question, tu dis que tu n'es pas juif." J'ai très bien enregistré tout ça, et les flics sont venus quelque temps après, j'avais à peine un peu plus de six ans, je crois que c'était en octobre 40. Ils étaient venus arrêter mon père, qui n'était déjà plus là. Ils m'ont un peu bousculé, ils m'ont un peu tordu les bras, pas pour me faire mal vraiment, surtout pour faire peur à ma mère, pour la faire craquer. Mais ma mère, pas question. Mission impossible : elle était stoïque et héroïque. Voilà, ce sont mes premiers souvenirs d'une époque qui fut difficile, parce qu'après j'ai suivi la vie de Résistance de mon père : j'étais chez l'un, chez l'autre ; en plus je suis allé en sanatorium ou quelque chose d'équivalent.

Vos déplacements suivaient ceux de ton père ?

Ah non, du tout. Mon père a toujours refusé de quitter Paris, alors qu'en principe, la règle était que les gens trop connus dans une région ne devaient pas y rester éternellement : c'est le seul et unique dirigeant — il avait été nommé à la direction des Jeunesses communistes en 43, de février 43 jusqu'à la Libération — c'est le seul et unique dirigeant des Jeunesses communistes, donc, qui n'a jamais été arrêté pendant l'Occupation. Le seul qui a survécu. Tous ceux qui l'ont précédé sont morts décapités, déportés, fusillés.

Tu étais avec ta mère jusqu'en 41 ?

Pas toujours : je suis allé en maison de santé, mais j'avais quand même un contact régulier avec elle. Ensemble, on habitait encore dans notre logement d'avant-guerre, et quand a eu lieu l'intervention nazie en URSS, ma mère est entrée à son tour dans la clandestinité. Pendant cette période, je l'ai revue quelquefois, j'ai habité quelquefois avec elle. On allait voir mon père pendant l'été 41. On montait de Belleville jusqu'au boulevard Serrurier, là-haut. J'avais un oncle qui habitait là, tailleur, juif bien sûr, et ma mère m'a appris à ne pas être suivi par les flics…

Comment faisais-tu ?

On changeait de parcours… Je restais derrière, elle partait, etc. On allait le voir tous les dimanches quand j'étais là et on ne prenait jamais deux fois de suite le même parcours… Je ne sais pas du tout si on a été suivis ou pas… Les Allemands sont venus seize fois pour arrêter mon père. On habitait rue de Belleville, dans le bas Belleville, et la dix-septième fois, ça n'est pas pour mon père qu'ils sont venus. C'est alors que les arrestations des Juifs, les vérifications, au moins, ont commencé. La dix-septième fois, c'était pour ma mère. La concierge a été très bien : ma mère n'était pas là et elle a glissé un petit papier dans la serrure disant : "Rose, fous le camp tout de suite"… C'était assez courageux parce que les flics pouvaient revenir avant que ma mère ne passe. C'étaient des concierges bien ; je crois que les concierges bien étaient de toute façon assez minoritaires durant cette période. Enfin on a eu cette chance-là. Voilà la jeunesse, c'est pas triste mais c'est un peu dur.

Et la fin de la guerre ?

J'étais dans l'Yonne, des amis, des camarades du Parti, sont venus me chercher un jour. On m'a remonté à Paris en camionnette. On m'a déposé en banlieue, ma tante est venue me chercher en vélo — elle aussi était dans la Résistance — et m'a ramené rue Mouffetard, où habitaient mes parents. Il faisait nuit et il y avait encore des gens qui tiraient sur les toits ; de toute façon moi, qu'on tire ou pas… Je savais que je ne finirais pas orphelin, question qu'effectivement je me suis posée pendant une bonne partie de l'Occupation. J'ai retrouvé mes parents, on a revécu

Si les Juifs étaient bleus, jaunes ou rayés, nous n'aurions pas été dans l'obligation de leur faire porter une étoile pour les reconnaître.
RADIO PARIS, JUIN 1942

quasiment normalement, le temps de retrouver un appartement, à Belleville toujours, d'ailleurs, et puis voilà ça a commencé à…

Tu allais alors à l'école ?

J'allais à l'école oui, régulièrement, alors que pendant la guerre j'y suis allé de temps en temps, assez épisodiquement quand j'étais en sanatorium ou en maison de santé. En fait il y avait des cours, il y avait des classes, mais on n'était pas obligés d'y aller, on n'apprenait rien du tout. J'étais un petit peu doué pour les études quand j'étais petit, après non.

Jusqu'à quel âge ?

Jusqu'à temps que je me tire. Avant, même. Jusqu'à ce que j'arrête de m'intéresser à ce genre de choses, parce que je pensais que ça me déformait au lieu de me former, jusqu'en troisième au lycée…

Tu as senti que ça se passait ailleurs ?

Oui, ça ne collait pas, ça ne pouvait pas coller entre ce qui se passait chez moi et ce qui se passait à l'extérieur, parce que mes vieux étaient des militants communistes, des vrais, des honnêtes, des révolutionnaires. Mon père était permanent et ne gagnait presque rien, ma mère était malade. J'ai eu un petit frère un peu après la guerre, en 46, et ma mère ne s'est jamais bien remise de l'époque de la Résistance : elle ne travaillait pas, elle était en congé longue durée. Mon père n'avait que sa paye de permanent, on ne bouffait plus de viande. On vivait très très très modestement. Mon père ne voulait absolument pas croire les gens qui lui expliquaient : "Ecoute Robert, on te raconte des histoires, il y a quand même des permanents qui ne vivent pas comme toi, tu devrais demander à avoir…" Il n'avait rien, il prenait le métro, il avait toujours sa canadienne de l'époque de la Résistance, alors que bien évidemment il y avait déjà des dirigeants qui en palpaient un petit peu plus. Lui n'a jamais voulu.

Quels étaient tes rapports avec tes parents ? Ils étaient très occupés par leurs activités politiques ?

Pas ma mère, mais elle le regrettait. L'existence a fait que ma mère a été obligée d'abandonner en partie le militantisme, et ça lui a toujours déplu. Mon père par contre - on avait fait le calcul une fois - était absent plus de la moitié de l'année. En plus il n'était pas très bavard ; il était ultra-sensible mais avait du mal à l'exprimer. Nous avons donc eu peu de rapports, et ça m'a marqué ; j'étais fils de militants, et fils de militants ça n'était pas l'idéal. A la maison on ne parlait que de politique. Je n'ai jamais vu de non-communistes chez moi, sauf la voisine d'en-dessous, la concierge qui venait de temps en temps, et la marraine de mon petit frère, qui elle n'était pas membre du Parti mais avait quand même une histoire un peu particulière puisqu'elle était polonaise. Elle avait fui la Pologne en 1930, en faisant un mariage blanc. A l'époque ça s'est beaucoup fait, et le gars avec qui elle s'était mariée était évidemment un copain du Parti, c'était d'ailleurs un ouvrier, membre du groupe Octobre de Prévert. Il est mort pendant la guerre d'Espagne. Son jules étant mort pendant la guerre d'Espagne, elle avait le droit de venir à la maison, mais sinon il n'y avait que des communistes.

Mais ton oncle tailleur était communiste lui aussi ?

Non, mon oncle tailleur… j'en ai eu deux. Celui dont je parlais tout à l'heure était très vieux, beaucoup plus vieux que le reste de la famille. Il avait fréquenté entre autres les groupes de Trotski en 1905, il était tout jeune pendant la révolution de 1905 et au moment des pogroms. Il était plutôt anarchisant. C'est lui, je crois, qui avait monté en France le syndicat des tailleurs à domicile ; c'est lui qui a organisé la première grève de ces tailleurs à domicile, qui fournissaient les Galeries Lafayette, en 29 ou dans ces eaux-là. L'autre oncle, lui, n'était pas communiste non plus, mais il avait quand même eu des ennuis tout jeune avec la police de Roumanie. Il était Juif roumain, avait donc fui la Roumanie, et s'était retrouvé coincé à Budapest juste au moment de la commune de Béla Kun. Tous ces gens-là n'étaient pas communistes.

Ils venaient à la maison ?

Ah oui, c'était la famille, il n'y avait pas de problème. Il n'y a qu'une personne de ma famille que je n'ai jamais vue à la maison, c'est ma grand-mère paternelle.

Pourquoi ?

Parce que mon père était très têtu, et qu'il s'est un jour engueulé avec elle quand il était jeune. Du coup, pendant toute mon enfance, je n'ai jamais su que j'avais une grand-mère. Mon père me l'a avoué après la mort de ma grand-mère maternelle, mort qui l'avait beaucoup marqué car il l'adorait. C'était d'ailleurs une femme extraordinaire, qui avait élevé sept enfants en se démerdant toute seule. Ça lui a fait un choc, et à ce moment-là il m'a dit qu'il avait une mère, qu'elle était toujours vivante. Je n'étais plus tout jeune, et mon fils, mon premier fils ne devait pas avoir loin de dix ans. Il a fait connaissance de son arrière grand-mère en même temps que je faisais connaissance de ma grand-mère. C'étaient les méthodes un peu sèches de mon père. A part ça, dans ma famille, il n'y avait pas de problème. Après la guerre les réunions se faisaient au moment des deux fêtes juives, parce que c'était la tradition. Ma grand-mère n'allait plus du tout à la synagogue, n'était plus pratiquante du tout, mais bon, il y a quand même eu dans la famille proche — ses frères à elle et puis ses enfants — dix-sept morts en déportation, elle est donc retournée à la synagogue en leur mémoire. Mais ce n'était pas religieux du tout, c'était la tradition : toute la famille se retrouvait pour ces deux fêtes-là, chez elle.

Quel était ton état d'esprit au moment où tu commençais à fréquenter le quartier ?

Mon état d'esprit résultait aussi, quand même, de mes lectures. J'étais un fervent de la bibliothèque municipale, je lisais tout, peut-être un peu n'importe quoi. Je me souviens entre autres avoir lu les trois premiers volumes des *Situations* de Sartre, des choses comme ça. Je lisais Prévert, mais Prévert c'était une histoire de famille : j'avais deux ou trois tantes et deux oncles qui avaient participé au groupe Octobre, une de ces tantes avait fait la tournée en URSS en 1930 et des poussières avec le groupe ; je ne sais pas s'il s'appelait déjà le groupe Octobre, peut-être le groupe Prémices. Prévert, c'était une tradition de famille, on en parlait dans toutes les réunions, c'était le bon temps, quand ils étaient jeunes et

tout et tout, avant que je ne le lise. Je me souviens avoir lu Queneau, Gide, je me souviens
avoir lu Anouilh, des choses qui n'existaient
pas chez moi, Jorge Amado... J'ai eu la chance
d'avoir Jean-Louis Bory comme professeur de
lettres.

C'est lui qui t'avait fait lire certains livres?

Non, pas directement. Mais il avait décidé, sur
cinq heures de français que nous avions par
semaine, de faire, contrairement à ce que voulait
le programme, une heure de français moderne. Il
nous a donc parlé entre autres d'Anouilh, de
Gide, là oui on peut dire que j'ai été influencé
par lui, mais pas plus que les autres élèves. A
côté, je lisais des choses qui n'avaient rien à voir
avec ce que j'apprenais à l'école. Il faut dire qu'à
l'époque, *Le Cid*, quand on me l'a fait ingurgiter,
c'était en quatrième je crois, on n'avait pas
encore terminé à la fin de l'année ; on étudiait
deux vers en une heure et le prof qu'on avait
était un mec qui avait des petites fiches vraiment
jolies, qu'il avait dû faire quand il était entré dans
l'enseignement en 1920 ou quelque chose
comme ça. J'ai été dégoûté, et je le suis encore
d'ailleurs, au moins de Corneille et Racine ; et de
Molière, mais Molière je m'y suis remis quand
même très vite. Racine et Corneille je ne
regrette pas beaucoup, ce n'est pas grave.

*Est-ce qu'il y a une lecture qui t'a marqué à cette
époque?*

Oui, c'était pendant l'été 50. Nous passions les
vacances dans les Alpes, à Briançon. Les
vacances, c'était toujours un petit peu pareil, des
gens du Parti nous louaient ou nous prêtaient un

appartement, et là nous étions dans une petite villa à côté de Briançon, où il y avait une belle bibliothèque. Je suis tombé sur un dénommé Arthur Rimbaud, et je n'en suis pas encore sorti, pas tout à fait. Il y avait aussi Verlaine, j'ai lu tout Verlaine, j'ai trouvé ça très beau, mais ça n'était pas du tout pareil. J'ai aussi lu Lautréamont, enfin un peu plus tard, mais très jeune.

Après être arrivé dans le quartier ou avant?

Avant, ou juste au début je crois. En fait, je suis arrivé… sur l'autre continent, au Dupont-Latin. C'était à la rentrée scolaire de 1950. Avant j'étais venu au quartier une ou deux fois, mais comme ça… j'avais encore peur.

Armé de Rimbaud et de Lautréamont, quinze, seize ans, tu déboules au quartier.

Voilà j'arrive, je commence à boire un peu.

Les premières rencontres?

Les premières rencontres? C'est au Dupont-Latin… C'était un bistrot immense, qui occupait tout le pâté de maisons entre la rue des Ecoles et Cluny de l'autre côté. C'était immense. A l'époque il y avait encore des yaourts comme consommation, on buvait encore du lait fraise, des horreurs de ce genre.
Heureusement, il y avait beaucoup de surprises-parties l'après-midi. Des jeunes qui utilisaient la maison des parents, censés être au lycée comme moi, comme nous. Et là on buvait, on buvait pas mal. C'est là que j'ai vraiment commencé à boire. Avec mon copain Raymond, on faisait des col-

Travailler maintenant, jamais, jamais, je suis en grève.
Jamais je ne travaillerai.
Sapristi, moi je serai rentier.
Tout est français c'est à dire haïssable au suprême degré.
J'ai horreur de tous les métiers.
J'ai horreur de la patrie.
Je ne comprends pas les lois.
Nous massacrerons les révoltes logiques.
Quel travail. Tout à démolir, tout à effacer dans ma tête.
J'ai une soif à éteindre la gangrène.
ARTHUR RIMBAUD

lectes dans ce genre de petites réunions, on achetait des saloperies à boire, de l'entre-deux-mers, du vin doux pour les petits jeunes qui n'étaient pas du tout alcooliques, eux ; et nous on se payait une bouteille de gin qu'on buvait en douce, ensemble tous les deux. Un petit début dans l'alcoolisme, ça a commencé comme ça, la méthode n'a pas duré, l'alcoolisation si.

Comment se passaient les rencontres entre les gens ?

Le vrai quartier c'est ici, au Mabillon, boulevard Saint-Germain, ça n'est pas le Dupont-Latin. Le Dupont-Latin c'était le port, ou la plage, avant le grand départ ; et il fallait traverser le Boul' Mich', le quartier latin, comme on disait, et faire le parcours Dupont-Latin-Mabillon, c'était ça la consécration. Alors la majorité des gens se sont perdus, se sont noyés, entre le Dupont-Latin et le Mabillon, il y en a même qui sont rentrés chez eux tout de suite ; mais la grande majorité des gens du Dupont se sont noyés en traversant l'océan. Bien après, on arrivait dans un immense café qui était rempli de gens du même genre que vous, où tout se passait très vite.

Le Mabillon, où nous sommes aujourd'hui.

Voilà, exactement. Et où tout le monde causait. Il y avait beaucoup de ce qu'on appelait les philosophes de bar, des gens comme ça, qui péroraient. Mais qui à l'époque m'impressionnaient un petit peu quand même. Déjà, parce qu'ils avaient au moins vingt ans. C'étaient des bavards qui avaient leur petite cour, qui avaient lu quelques trucs de très loin, en général sans bien comprendre. La grande mode, alors, c'était quand même Sartre, c'était l'existentialisme : les gens, les touristes, venaient au quartier pour voir les existentialistes, et il y avait un certain nombre de zozos qui tenaient des discours, qui jouaient le rôle pour se faire payer à bouffer, pour se faire payer à boire. C'était une spécialité, certains étaient plus doués que d'autres. Fabio, entre autres; il avait dû avoir son bac philo : c'était un discoureur extraordinaire, et c'était aussi un joueur de contrebasse. C'est le seul type que je connaisse qui a fait du stop avec sa contrebasse. Il y en avait un autre, Jean le Poète, pareil, il écrivait aussi des poèmes, bien évidemment; il est devenu barman au Montana, rue Saint-Benoît, un bar très chic.

Quand tu es arrivé dans le quartier tu n'avais pas d'argent.

Non, très peu. Enfin, officiellement, je n'en avais pas du tout. Mes parents ne m'en donnaient pas, mais bon, on trouvait toujours des gens... Il y a eu une époque où on en avait beaucoup, mais qui n'a pas duré très longtemps. C'était l'époque des vieux papiers. Il y avait une pénurie de papier, le papier coûtait très cher, et les étudiants faisaient les appartements les uns après les autres, en mettant des affichettes : "nous allons passer tel jour pour récupérer les vieux papiers", et on passait avant eux; on se faisait passer pour des étudiants.

Et vous revendiez ce papier?

Oui, et ça valait très cher : on était riches tous. On a été riches pendant quelque temps, et puis j'ai dû quitter ce merveilleux travail parce que des salopards ont prétendu m'avoir vu ivre mort sur le boulevard Saint-Michel.

Pure calomnie ?

Oh, pas tout à fait. Et ils sont allés annoncer ça à mes parents, qui m'ont envoyé, pour essayer de me remettre dans le droit chemin, au lycée à Beauvais pendant trois mois. J'ai passé un contrat avec ma mère en disant "bon d'accord, j'y vais, mais en juillet tu me fais faire des papiers, carte d'identité, passeport, parce que je veux aller à l'étranger, je veux voyager". Et une fois le contrat tenu, je me suis tiré.

Ces papiers étaient nécessaires à ton émancipation ?

Non, non, mais c'était la possibilité d'aller à l'étranger. Pas l'émancipation : c'est toujours ma maman qui a payé mes amendes quand je me faisais arrêter pour ivresse sur la voie publique, ce qui était assez fréquent.

Tu t'es mis à voyager.

J'ai fait un voyage en Italie en octobre 1951, à Florence, une ville merveilleuse.

Tout seul ?

Non, pas exactement : j'avais un chien, un chien maigre comme tout. Les gens avaient pitié du chien et après ils avaient pitié de moi, c'était très pratique. J'ai voyagé trois semaines un mois environ, puis je suis remonté au quartier, et j'avais encore envie de voyager. En décembre, je suis donc reparti dans l'intention d'aller à Stockholm avec un copain, que d'ailleurs je vois encore, c'est un des rares que je vois encore de cette époque-là, on est quelques-uns. On s'est arrêtés à Bruxelles, on a trouvé que la bière était très bonne, on y est restés six mois au moins.

Et vous avez bu de la bière ?

On a bu énormément de bière, et moi je me suis retrouvé en maison de correction parce qu'on s'est fait arrêter.

Pour quelle raison ?

Il y a eu une rafle dans un coin qui était le petit Saint-Germain de Bruxelles, avec un orchestre de jazz et tout et tout. Les flics nous ont alpagués parce qu'on était étrangers, qu'on n'avait plus aucun papier, sauf le passeport : ni permis de séjour, permis de travail, ni quoi que ce soit. On s'est fait piquer à trois : les deux autres avaient plus de dix-huit ans et ont donc été renvoyés le lendemain à la frontière. Mais je n'avais pas dix-huit ans, et j'ai donc été envoyé en maison de correction.

Combien de temps y es-tu resté ?

Quarante jours : ça suffit pour comprendre. C'était une maison de correction belge : moitié wallonne, moitié flamande, et ça se foutait sur la gueule tous les jours. Moi je n'étais pas du tout concerné par ces affaires-là, j'étais tout à fait spécial par rapport aux jeunes gars qui étaient là-dedans, tous des petits voleurs, des révoltés, qui n'avaient pas de parents, ou des parents divorcés.

ARTICLE 115
Lorsqu'une personne aura cessé de paraître au lieu de son domicile ou de sa résidence et que depuis quatre ans on n'en aura point eu de nouvelles, les parties intéressées pourront se pourvoir devant le tribunal de première instance, afin que l'absence soit déclarée.

C'était en quelle année?

Mars-avril 52.

Ta mère vient te chercher…

Ma mère est venue me chercher et je suis revenu au quartier, un peu auréolé de ce passage en maison de correction, j'ai repris la vie normale, c'est-à-dire la vie du quartier : on tapait les gens, on escroquait un peu, on volait un petit peu… Mais même pas, parce qu'il y avait des tas de gens qui venaient au quartier à l'époque, c'était facile, on n'était pas très très nombreux en fait, on était cent, deux cents, dans ces eaux-là. Les gens se font des idées sur Saint-Germain… Mais nous, ça n'était pas Saint-Germain de toute façon. Moi je n'ai été dans ma vie que deux fois au Flore, peut-être, et deux fois au Deux-Magots. Pour nous le quartier ça s'arrête en gros avant la statue de Diderot. Il y avait un bistrot qui s'appelait le Saint-Claude, en face… Un peu avant la rue de Rennes. On prenait la rue des Ciseaux, il y avait au coin de la rue des Ciseaux et de la rue du Four un bistrot qui s'appelait le Bouquet, un peu plus loin, rue du Four, il y avait Moineau. Sur le trottoir d'en face, au coin de la rue Bonaparte si je ne me trompe pas, il y avait un bistrot qui vendait des frites et des saucisses frites, la Chope gauloise ; rue des Canettes, on n'y allait pas encore beaucoup, il y avait déjà Chez Georges, bistrot très connu. Georges, lui, n'était pas encore là. Après on revenait par la rue du Four, il y avait la Pergola, juste en face, et le Old Navy, un tout petit peu plus loin sur le trottoir, à cent cinquante mètres du Mabillon. Et puis il y avait un autre bistrot un tout petit peu plus loin, enfin qui pour certains paraissait quand même très loin. Il était, je ne me souviens plus de son nom, en face du théâtre du Vieux-Colombier, et puis on allait quand même faire quelques escapades : un bistrot qui s'appelait le Nuage, deux ou trois bistrots par là, dans une petite rue, de l'autre côté de la rue de Rennes, mais bon, là on y allait épisodiquement. Quelquefois, le soir, on tombait sur des gens qui nous invitaient, mais sinon on se concentrait ici, au Mabillon. Il n'y avait que des gens comme nous, peut-être au bar qui était au bout quelques personnes du quartier ; mais nous on n'allait jamais au bar.

Vous étiez toujours assis ?

A l'époque, oui. C'est après qu'on est devenus des piliers de comptoir. Ici on était toujours assis. Il y avait un bistrot qui était très important la nuit — c'était vraiment la déportation — le Bar Bac. Quand on tenait encore sur nos jambes, on y allait, on rencontrait d'autres gens qui n'étaient pas de notre quartier à nous, des gens comme Blondin. La nuit, à partir de quatre heures du matin, on rencontre les pires des pires.

Et le Tabou ?

Le Tabou c'était plutôt la clientèle des Deux-Magots, du Flore. C'était la génération d'avant la mienne, enfin quand je dis génération, parfois il n'y avait que six mois ou un an de différence. Je suis allé quelquefois au Tabou, oui. Deux fois, entre autres, pour faire des concerts lettristes, mais c'était déjà plus ou moins la fin. Par contre, au tout début, avant même de venir ici au Mabillon, c'est-à-dire quand j'étais encore au Dupont-Latin, on allait dans les boîtes de jazz, au Club Saint-Germain, rue Saint-Benoît, mais ce

AU TABOU
33, Rue Dauphine - Paris (6e)

Production de
Michel Le Clerc Et Marc Guillaumain

4
RÉCITALS
LETTRISTES
de 17 heures à 19 heures
les samedis   les dimanches
14 et 21   15 et 22
Octobre 1950

LA SEULE POESIE MUSIQUE POSSIBLE

L'UNIVERS DES "BRUITES"

Serge Berna	Albert Jules Legros
Jean-Louis Brau	Maurice Lemaître
Bu Bugajer	Matricon
François Dufrène	Nonosse
Ghislain	Pac Pacco
Jean-Isidore Isou	Gabriel Pomerand.
Gil J. Wolman	

AU TABOU

n'était pas pareil, ce n'est pas du tout la même chose que le quartier tel que je l'ai décrit : les boîtes de jazz n'en faisaient pas partie.

La limitation géographique était marquée par des bistrots ?

Pour moi oui ; pas pour tout le monde mais pour moi c'est évident. Il y avait quand même quelques autres endroits comme l'allée du Séminaire dans le haut de la rue Bonaparte où on se retrouvait sur un banc quand on voulait être un peu à l'écart, quand on cherchait un peu d'intimité. C'est là qu'Eliane nous donnait rendez-vous, un peu en dehors du quartier, pour ne pas être repérée par les flics quand elle était en fugue. Ou encore le square du Vert-Galant. On s'affalait là, on faisait la quête. Je suis d'ailleurs tombé une fois dans la Seine. C'était un endroit qu'adorait Debord. Il marquait une sorte de frontière : on n'allait jamais sur la rive droite.

Tu traînais depuis déjà quelque temps dans les bistrots du quartier. Comment as-tu rencontré ceux avec qui tu as participé au mouvement lettriste ?

C'est après Bruxelles, après la maison de correction. Je suis parti en vacances, enfin vacances, façon de parler, toute l'année on était en vacances. Et puis en septembre 52 on est rentrés de la côte.

En vacances avec tes parents ?

Non non, plus du tout. Les vacances c'était avec un dénommé Joël, qui a fini d'ailleurs très mal.

Joël comment?

Joël Berlé, de son vrai prénom Pierre, qui a fini mercenaire au Katanga. C'est un cycle : lui il a poussé le vol, et le reste, jusqu'au bout. Il a pris, ou plutôt il risquait de prendre de la taule assez sévèrement... Je l'ai connu au passage quand je faisais mes petits voyages entre Paris et Bruxelles. Il est donc arrivé au quartier relativement tard, en 52. Il arrivait de la Ciotat ou de Marseille. Son père officiel — plus tard je cambriolerai sa villa avec lui — était à l'époque directeur des chantiers navals de la Ciotat; sa mère était une brave dame. Joël m'a toujours soutenu qu'en fait ce n'était pas son père, que son père était un gars qui écrivait des romans policiers dans la fameuse collection du Masque. Sa mère avait eu ce monsieur comme amant, elle s'était séparée de son mari officiel... Moi je l'ai connu à ce moment-là et après deux ou trois jours on est repartis ensemble à Bruxelles. On a vécu à Bruxelles quelque temps, et puis on est partis en vacances sur la côte pendant la saison, on a traîné à Cannes ensemble, on s'est mal tenus ensemble, il était un peu voleur, beaucoup même... A Cannes on a été un peu gigolos, quelques petits vols à la roulotte, des choses anodines. Joël n'était pas encore très très voleur à l'époque... On est remontés à Paris, séparément d'ailleurs, on s'est retrouvés ici et on a fait équipe. Il connaissait très peu le quartier, c'est moi qui l'ai introduit, qui l'ai amené chez Moineau; à partir de là, il a fait partie de la bande, de la tribu, il a signé des textes de l'Internationale lettriste, mais lui s'en contrefoutait. Il s'est mis à voler assez sérieusement, il avait une technique : il faisait les hôtels et il ne rentrait que dans les chambres où il y avait la clé sur la porte, ce qui était assez fréquent, comme pour les voitures, il y avait encore des tas de gens qui ne fermaient pas leur voiture. Il était donc certain qu'il y avait des gens dans la chambre

PIERRE-JOËL BERLÉ

Il y avait alors, sur la rive gauche du fleuve – on ne peut pas descendre deux fois dans le même fleuve, ni toucher deux fois une substance périssable dans le même état –, un quartier où le négatif tenait sa cour.

GUY DEBORD,
In girum imus nocte et consumimur igni.

et il risquait de les réveiller. Il fallait donc qu'il opère très discrètement, ce qui faisait qu'il volait parfois des trucs invraisemblables, parce qu'il n'allumait pas la lumière : il fauchait tout ce qui lui tombait sous la main, des réveils, n'importe quoi. Une fois, dans la bagnole d'un gars qui nous avait pris en stop, il a réussi à piquer dans une valise une très belle chemise. Quand il est descendu et que je l'ai mise, on s'est aperçu que c'était une veste de pyjama… Il avait trouvé des trucs fort utiles, des espèces de gabardines qui descendaient quasiment jusqu'aux pieds, ce n'était pas du tout la mode à Saint-Germain — la mode c'était le noir, ou les vestes écossaises faites avec les plaids piqués dans les bagnoles — mais ça facilitait nos vols dans la cave d'un bistrot du coin, le père Quillet, qui était un mec assez drôle : considérant qu'il donnait trop d'argent au fisc, à l'Etat, il avait fermé son bistrot. Ses clients rentraient par la cour, il y avait des vieux messieurs des Beaux-Arts… des gens comme ça.

C'était un bistrot clandestin ?

Si on veut, oui. Donc il avait une cave avec une énorme réserve de vin blanc de la Loire, assez sec, "blanc coup de fusil" on appelait ça, et on en a volé des dizaines et des dizaines de bouteilles, parce qu'il ne fermait pas sa cave : on pouvait rentrer comme on voulait, et avec ces gabardines immenses on pouvait chacun foutre huit bouteilles dans les poches. Quand on ne pouvait pas les boire toutes, on les planquait dans un chantier, rue de Buci, pour le lendemain. Ceux qui se réveillaient les premiers les buvaient.

Et à ce moment-là tu faisais équipe avec Joël Berlé…

Son travail de rat d'hôtel, il y allait tout seul, moi je n'étais absolument pas doué pour ce genre de machin-là…

Et roulotier dans les voitures ?

Ça, je l'ai fait avec lui, je l'ai fait avec d'autres, quand on sortait du bistrot… Une fois je me suis fait piquer, j'ai été condamné avec sursis parce que j'étais vierge à l'époque, c'était un truc assez courant, on n'était pas les seuls à faire ça… on considérait que c'était quelque chose de tout à fait normal. Maintenant Gil Wolman, Jean-Louis Brau et Guy Debord ne faisaient absolument pas ce genre de choses, ils étaient honnêtes… mais nous on ne se considérait pas comme malhonnêtes de toute façon… ils ne nous ont jamais fait la morale…

Qui était Joël ?

Joël n'avait pas encore de profil bien déterminé, c'était un type qui avait plein d'humour, qui inventait des choses assez extraordinaires, qui faisait rire tout le monde… Partir en stop avec juste le Bottin dans sa gibecière, monter des trucs… C'est lui qui avait mis en place le système des visites des catacombes… Ça c'est encore une affaire de troc… une combine qui consistait à piquer le plomb dans les lampadaires, qui étaient nombreux à l'époque, contre l'adresse d'une entrée des catacombes, rue Notre-Dame-des-Champs… Parce qu'à l'époque le plomb valait assez cher… et en fait il y avait beaucoup plus de plomb dans les catacombes. Joël s'est fait piquer un jour (il y a un tract de

PIERRE JOËL BERLÉ
SUR UN MANÈGE
PHOTO GARANS

TOUCHEZ PAS AUX LETTRISTES.

A la suite d'on ne sait quelles provocations, Pierre-Joël
BERLE vient d'être arrêté.

Il est inculpé d'intrusion ▓▓▓▓ dans les catacombes, dans
le but d'y dérober du plomb.

Nous nous refusons à prendre au sérieux ce chef d'accusation.

Les vrais mobiles de cette affaire sont évidemment autres.
Résolu à défendre la liberté d'expression en France, nous
réclamons l'élargissement immédiat de P.-J. BERLE, et la cessation des poursuites.

Au demeurant, nous approuvons tous les actes de notre camarade.

On ne saurait être lettriste innocemment.

                    pour l' INTERNATIONALE LETTRISTE.

                    Bull Dog BRAU
                    Hadj Mahomed DAHOU
                    Guy-Ernest DEBORD
                    Gaëtan M. LANGLAIS
                    René LEIBÉ
                    Jean-Michel MENSION
                    Gil J WOLMAN

TOUCHEZ PAS AUX LETTRISTES

A la suite d'on ne sait quelles provocations,
Pierre-Joël BERLÉ vient d'être arrêté.

Il est inculpé d'intrusion dans les catacombes, dans le but d'y dérober du plomb.

Nous nous refusons à prendre au sérieux ce
chef d'accusation.

Les vrais mobiles de cette affaire sont évidemment autres.

Résolus à défendre la liberté d'expression
en France, nous réclamons l'élargissement
immédiat de P.-J. BERLÉ, et la cessation des
poursuites.

Au demeurant, nous approuvons tous les
actes de notre camarade.

On ne saurait être lettriste innocemment.

Pour l'INTERNATIONALE LETTRISTE.
Bull Dog BRAU
Hadj Mohamed DAHOU
Guy-Ernest DEBORD
Gaëtan M. LANGLAIS
René LEIBÉ
Jean-Michel MENSION
Gil J WOLMAN

l'I.L. en soutien à Joël) en sortant des catacombes par une bouche d'égout — il avait une
connaissance assez complète de la géographie
souterraine — le corps bardé de plomb, un peu
comme les anciens coureurs cyclistes avec leurs
boyaux de rechange. Et puis on a continué à se
voir dans les bistrots, mais on ne faisait plus
équipe. On s'est séparés et, après, il a fait des
coups plus importants, ce qui l'a amené ensuite à
s'engager dans la Légion parce qu'il risquait
deux ans de taule, et puis de là il est parti en
Algérie, ce qui était fréquent. Ensuite, il s'est
engagé au Katanga. On a cru très longtemps qu'il
était mort, et effectivement il avait été grave-
ment blessé en Algérie. Un jour il est repassé par
le quartier, avant 68, il est resté deux jours et il
est reparti. C'était un aventurier, mais qui tran-
chait avec les aventuriers du quartier, encore
qu'il y ait eu des escrocs, des gens assez drôles.
Lui c'était vraiment le vol, mais je crois qu'il
s'est repris... après le Katanga et tout ça il s'est
recasé je ne sais pas comment exactement, il
allait vraiment vers le grand banditisme... C'est
donc avec lui que je suis revenu, et puis on est
allés chez Moineau. C'était le deuxième voyage,
chez Moineau. D'ici à chez Moineau il y a trois
cents mètres à peu près, mais c'était encore plus
compliqué, on perdait plus de gens dans ce
deuxième voyage... Moineau, c'était une
espèce d'île déserte au milieu...

Du Dupont Latin au Mabillon...

Premier voyage.

Et deuxième voyage : du Mabillon à chez Moineau.

Là, c'était l'écrémage très dur, les gens avaient peur d'y aller.

Les rescapés se retrouvaient chez Moineau.

Voilà. Et là, effectivement, c'était le délire. C'était l'alcool, c'était le hasch, on fumait du hasch très régulièrement. Aujourd'hui, le hasch, tout le monde en fume. Il y a cinq millions de gens qui en fument. Au quartier il y avait très peu de gens qui en fumaient ; il arrivait par le biais d'un dénommé Feuillette, d'origine marocaine, qui avait une filière et trafiquait un peu. Et puis des gens comme Midou Dahou — le diminutif de Mohamed —, qui lui faisait partie de l'Internationale lettriste, et son cousin, les joueurs de guitare. Ils nous accompagnaient, c'est eux qui donnaient le rythme à la guitare quand on commençait à s'évaporer, et eux ils avaient du hasch ; les Algériens en France avaient du hasch, il n'y avait qu'eux qui en fumaient, enfin les Algériens, les Marocains, les Maghrébins. Et nous, on était un petit groupe à fumer ; mais le hasch, c'était très récent. On pouvait le fumer dans la rue, personne ne savait ce que c'était.

Vous l'achetiez où ?

Nous on l'achetait rue Xavier-Privas ; le hasch était planqué dans des vieilles boîtes à lettres, enveloppé dans du papier comme des cornets de frites, il n'y avait pas un Français à part notre groupe ; on était dix, douze, il n'y avait pas uniquement les copains de l'I.L., mais enfin des proches copains.

VALI

PHOTO ED VAN DER ELSKEN

C'étaient des enfants déracinés venus de tous les coins d'Europe. Beaucoup n'avaient ni toit, ni parents, ni papiers. Pour les flics, leur statut légal, c'était celui de "vagabonds". C'est pourquoi ils finissaient tous par se retrouver à la Santé. On vivait dans la rue, les cafés, comme une bande de chiens bâtards. On avait notre hiérarchie, nos codes bien à nous. Les étudiants, les gens qui travaillaient en étaient exclus. Quant aux quelques touristes qui venaient reluquer les "existentialistes", il était permis de les rouler. On se débrouillait toujours pour avoir du gros vin et du hasch d'Algérie. On partageait tout.

VALI MEYERS

JEUNESSE ABUSIVE

JEAN MENSION et Auguste Hommel, 20 ans, affrontent le président Royer, à la 12e Chambre correctionnelle.

Leur tenue (nous parlons de leur accoutrement) est curieuse : pantalon en velours côtelé vert-pomme, godasses invraisemblables d'épaisseur. Couronnant le tout, une tignasse hirsute et peut-être habitée. Il paraît que c'est l'uniforme d'une certaine faune Saint-Germain-des-Prés et que c'est indispensable pour « épater » le bourgeois. Chaque époque a connu des jeunes gens révolutionnaires par leurs mœurs et leurs idées ; Incroyables, sous le Directoire ; romantiques sous Louis-Philippe ; cubistes, fauves, avant 1914 ; surréalistes en 1920 ; zazous en 1943 ; existentialistes par la grâce de M. J.-P. Sartre. Mais ces jeunes gens, s'ils faisaient beaucoup de bruit et peu de chefs-d'œuvre, ne volaient pas. Mension et Hommel ont perfectionné le système : non contents d'épater les bourgeois, ils le pillent. Un inspecteur les vit « s'intéresser » aux autos garées boulevard Saint-Germain et dans les rues avoisinantes ; ils les avaient, les mains vides ; il les revit avec des sacs à main, des appareils photographiques... Leurs mains n'étaient plus libres ; eux ne le furent pas longtemps,

J. MENSION et A. HOMMEL

non plus, l'inspecteur ayant emmené le tout, voleurs et objets volés, au commissariat.

On dit — un peu par plaisanterie — que le président Royer ne badine pas avec sa clientèle. Soyons justes : il sait, quand les circonstances le requièrent, doser le châtiment. A ces deux-là, qui ne furent jamais condamnés ; qui pourront travailler lorsqu'ils auront compris l'inanité et l'insanité de leur conduite qui « n'épate » personne, mais qui afflige tout le monde, le président Royer n'inflige que 6 mois de prison, avec sursis et 12.000 francs d'amende.

Dans les couloirs, les deux « héros » retrouvent leur thiase : une dizaine de jeunes hommes, volontairement crasseux, grattant frénétiquement leur tignasse, pour « épater » le photographe et la rédactrice de cette petite cause.

NI PAR LA PLUME, NI PAR L'ÉPÉE : PAR LES BALANCES

TRISSOTIN et Vadius réglaient leurs comptes eux-mêmes et réclamaient, tout au plus, l'arbitrage de Boileau. Plus tard — et plus cruellement — Voltaire et Jean Fréron disputaient à coups d'épigrammes. C'étaient là de grands siècles où, bien qu'on fût processif (*Les Plaideurs* de Racine le prouvent) on n'appelait pas la Justice à l'aide pour un écrit mal jugé. De nos jours, les écrivains — et même les écrivailleurs — ont l'épiderme plus sensible. C'est ainsi que Michel Mourre, ce jeune homme qui ne craignit pas de diffamer Dieu, à Notre-Dame, en plein prêche, fut ulcéré par quelques écrits de Georges Arnaud, l'auteur du *Salaire de la Peur*. Il chargea Me Klotz de poursuivre Arnaud en diffamation. Me Paul Garson, avocat d'Arnaud, s'apprêtait au combat qui devait se dérouler à la 17e Chambre correctionnelle ; il avait aiguisé des armes dont la moindre n'est pas l'ironie spirituelle.

Hélas ! (pour nous) Michel Mourre comprit à temps que la Justice pourrait fort bien ne pas lui être plus tendre dans le rôle de plaignant que dans le rôle d'accusé ; son avocat fit retirer l'affaire du rôle, purement et simplement.

Ce qui prouve qu'on peut être jeune, contempteur de dieux et pourtant avoir des moments de sagesse.

VIOLETTE NOZIÈRES POURRA NOURRIR LES SIENS

LE mois dernier, Me de Vésinne-Larue, avocat de Violette Nozières, avait formulé une demande de réhabilitation de sa cliente, cela afin de lui permettre de pouvoir prendre un commerce et nourrir ainsi sa vieille mère et ses deux enfants.

La Chambre des mises en accusation avait repoussé cette demande.

Me de Vésinne-Larue, s'appuyant sur la loi du 30 août 1947 qui prévoit des dispenses à l'interdiction de prendre un commerce pour toute personne condamnée à des peines graves, demanda à la Chambre des mises la réhabilitation commerciale.

Statuant en chambre du conseil, sous la présidence de M. de Moissac, et conformément aux conclusions de l'avocat général Raphaël, la Cour d'assises de la Seine, que la Chambre des mises avait saisie de cette demande de réhabilitation commerciale, vient de l'accorder à Violette Nozières.

Cette grande coupable, à présent complètement rédimée, pourra donc prendre prochainement un commerce (probablement un hôtel-restaurant dans l'Orne), ce qui lui permettra de sauver de la misère — et peut-être de la mort — quatre personnes.

Jean-Michel Mension et Auguste Hommel, 20 ans, affrontent le président Royer à la 12e chambre correctionnelle.

Leur tenue (nous parlons de leur accoutrement) est curieuse : pantalon en velours côtelé vert pomme, godasses invraisemblables d'épaisseur. Couronnant le tout, une tignasse hirsute et peut-être habitée. Il paraît que c'est l'uniforme d'une certaine faune Saint-Germain-des-Prés et que c'est indispensable pour "épater" le bourgeois. Chaque époque a connu des jeunes gens révolutionnaires par leurs mœurs et leurs idées : Incroyables, sous le Directoire ; romantiques sous Louis-Philippe ; cubistes, fauves, avant 1914 ; surréalistes en 1920 ; zazous en 1943 ; existentialistes par la grâce de M. J.-P. Sartre. Mais ces jeunes gens, s'ils faisaient beaucoup de bruit et peu de chefs-d'œuvre, ne volaient pas. Mension et Hommel ont perfectionné le système : non contents d'épater le bourgeois, ils le pillent. Un inspecteur les vit "s'intéresser" aux autos garées boulevard Saint-Germain et dans les rues avoisinantes ; ils avaient alors les mains vides ; il les revit avec des sacs à main, des appareils photographiques… Leurs mains n'étaient plus libres ; eux ne le furent pas longtemps, non plus, l'inspecteur ayant emmené le tout, voleurs et objets volés, au commissariat.

On dit – un peu par plaisanterie – que le président Royer ne badine pas avec sa clientèle. Soyons justes : il sait, quand les circonstances le requièrent, doser le châtiment. A ces deux-là, qui ne furent jamais condamnés ; qui pourront travailler lorsqu'ils auront compris l'inanité et l'insanité de leur conduite qui "n'épate" personne, mais qui afflige tout le monde, le président Royer n'inflige que 6 mois de prison avec sursis et 12 000 francs d'amende.

Dans les couloirs, les deux "héros" retrouvent leur thiase : une dizaine de jeunes hommes, volontairement crasseux, grattant frénétiquement leur tignasse, pour "épater" le photographe et la rédactrice de cette petite cause.

Qui ? Détective n° 363, 15 juin 1953.

Vous étiez les seuls Français à fréquenter cette rue et ces bistrots ?

Les seuls. Il y avait celle-là et la rue Galande, qui était moins complètement arabe, un petit peu mélangée, mais avec deux ou trois bistrots strictement arabes. Nous, on était l'exception. De participer à la vie des Maghrébins c'était une façon très claire de prendre parti contre la bourgeoisie, contre les cons, contre les Français. Maintenant c'est peut-être difficile de ressentir la question coloniale comme on la ressentait à l'époque, c'était politique et en même temps viscéral… et puis il y avait quand même la tradition surréaliste, le grand discours contre le colonialisme… C'était un truc élémentaire et tout le monde était dans cette attitude-là, même les gars qui n'avaient jamais fait de politique.

Revenons chez Moineau. Vous arrivez là et…

Avec Joël on s'est sentis chez nous tout de suite. C'était un petit bistrot qui, archi-bourré, pouvait contenir une cinquantaine de personnes au maximum, cent cinquante selon les flics. Il y avait des gens totalement différents chez Moineau, qui venaient d'histoires complètement différentes, mais à peu près tout le monde a eu la même réaction en ouvrant la porte : il y a ceux qui fuyaient, la grande majorité, et puis ceux qui se sont dit : "Ça y est, je me suis enfin retrouvé." A propos de ces gens-là, certains disent la famille, moi je dis la tribu. Et puis ça a continué comme ça un petit bout de temps, pas très longtemps, mais c'est très important dans une vie, ces petits moments-là, et assez rare.

Quelles furent tes premières rencontres ?

Il y avait des gars que je connaissais déjà : Feuillette, Vali la rousse, l'Australienne, une fille assez étonnante, visuellement étonnante, qui vivait plus ou moins avec Feuillette. Il n'y avait plus tous ces philosophes de comptoir, ils ne venaient pas là-bas. Il y avait quand même des gens un petit peu plus sérieux, qui étaient un peu plus que des philosophes de comptoir : Serge Berna, que je connaissais déjà, qui avait organisé ce qu'on a appelé le scandale de Notre-Dame avec Michel Mourre, et qui s'était retrouvé au Grenier des Maléfices. C'était un espèce de grenier où habitaient à une époque plusieurs vieux du quartier, rue Xavier-Privas aussi d'ailleurs, mais avant qu'on y aille nous, une espèce de piaule, au dernier étage d'un vieil immeuble. Je sais que Ghislain, Ghislain de Marbaix, y est allé, Le Maréchal aussi, un peintre qui avait fait partie du groupe surréaliste, Jean-Loup Virmont, Jean-Claude Guilbert, dont on reparlera, traînaient par là ; enfin il y avait quelques anciens du quartier qui habitaient là-dedans ou qui venaient au grenier parce qu'ils n'avaient pas d'autre piaule ; c'était un peu comme dans *Les Bas-fonds*, le film de Renoir. Et c'est là que Berna a trouvé des manuscrits d'Artaud, *Voyage au pays des Tarahumaras*, il me semble. C'était vraiment un manuscrit d'Artaud, bien qu'à l'époque tout le monde ait traité Serge Berna d'escroc, d'autant plus facilement qu'il était effectivement un peu escroc. Il y avait donc des gens que je connaissais déjà, une espèce de type immense qui venait un peu à la Pergola, retour de Corée — où il n'avait pas tiré un coup de feu, d'ailleurs. Il était chauffeur d'un général. Un type infâme, très gentil, qui deviendra l'un de mes très proches copains. On l'appelait Fred, il s'appelait Auguste Hommel : plus tard il s'est mis à peindre et a bien

Le 9 avril 1950, dimanche de Pâques de l'Année sainte, un groupe de quelques hommes franchit le seuil de Notre-Dame de Paris, se faufile dans la foule considérable assemblée pour la grand messe et gagne les approches de la chaire. L'un d'eux, Michel Mourre, a revêtu une robe de dominicain louée la veille pour la circonstance. Immuable, le rite millénaire se déroule jusqu'au moment de l'élévation. C'est alors que déchirant le vaste silence qui pèse sur l'assistance recueillie, la voix du faux dominicain soudain se met à retentir, et proclame :

Aujourd'hui jour de Pâques en l'année sainte
ici
dans l'insigne Basilique de Notre-Dame de Paris
J'accuse
l'Eglise catholique universelle du détournement mortel de nos forces vives en faveur d'un ciel vide
J'accuse
l'Eglise catholique d'escroquerie
J'accuse l'Eglise catholique d'infecter le monde de sa morale mortuaire
d'être le chancre de l'Occident décomposé.
En vérité, je vous le dis : Dieu est mort.
Nous vomissons la fadeur agonisante de vos prières
car vos prières ont grassement fumé les champs de bataille de notre Europe.
Allez dans le désert tragique et exaltant d'une terre où Dieu est mort
et brassez à nouveau cette terre de vos mains nues
de vos mains d'ORGUEIL
de vos mains sans prière.
Aujourd'hui jour de Pâques en l'Année sainte
Ici, dans l'insigne Basilique de Notre-Dame de France, nous clamons la mort du Christ-Dieu pour qu'enfin vive l'homme.

vendu, paraît-il, aux Etats-Unis. Il est mort récemment, une armoire à glace. Je l'appelais mon ours. Et puis des gens du quartier : il y avait toute l'équipe Garans, Sacha, Clavel et Youra, qui après est parti au Brésil ; je les connaissais depuis le Mabillon, et même le Dupont-Latin. Et puis plein de nouveaux, des gens que je n'avais jamais vus ailleurs et qui étaient, eux, plutôt d'une génération précédente, qui avaient connu la guerre. Je les connaissais très peu. J'ai cité les bistrots où j'allais, mais il y a eu beaucoup d'autres bistrots dans le quartier, qui ont disparu ou fait faillite. Il y avait entre autres Chez Fraisse, rue de Seine, un bistrot où traînait déjà Robert Giraud, devenu célèbre comme le meilleur connaisseur de tous les vins de France. Tous se mélangeaient à peu près bien, sauf pour une petite minorité des anciens de chez Moineau, qu'on emmerdait manifestement. Dont Vincente, qui était un peu la "mère Aub" de ce bistrot avant qu'on arrive : elle trouvait qu'on fumait trop de hasch, qu'il commençait à y avoir des petits voleurs. Et puis à un moment, Joël, Eliane Derumez et moi on s'est mis à prendre de l'éther, alors évidemment on se faisait jeter de tous les bistrots dès qu'on arrivait, parce qu'on sentait l'éther. Chez Moineau, le père Moineau gueulait un peu, mais comme il n'était jamais là dans la journée on pouvait rentrer. Le père Moineau on le voyait très peu, il venait le soir, tard, pas tous les jours d'ailleurs…

Quel genre ?

Nord-africain, petit, assez typé… Il travaillait aux Halles. Il avait du fric quand même, et je sais que quand il avait ouvert son bistrot il avait récupéré des gens dans la rue, des copains du quartier, leur avait offert une soupe dans son bistrot, et c'est

CHEZ MOINEAU, 22, RUE DU FOUR
DEBOUT : FRED, MEL ET UNE AMIE DE VALI
ASSIS DE GAUCHE À DROITE : JEAN-MICHEL MENSION, SERGE BERNA, VALI,
MICHÈLE BERNSTEIN, JOËL BERLÉ, PAULETTE VIELHOMME ET UNE INCONNUE.
PHOTO ED VAN DER ELSKEN

Ceux qui étaient désireux de s'adonner plus activement à la découverte des paradis artificiels s'intéressaient à l'éther. C'était incontestablement moins cher que le hasch et l'effet rapide était garanti. Pas de trafic clandestin, pas de risque de filature policière. Il suffisait de s'adresser au premier pharmacien venu car l'éther était encore en vente libre… Lorsque nous entendions des réflexions du genre, "Marcel, ferme le bouchon !", cela pouvait ainsi se traduire : "Marcel, n'ouvre pas la bouche, tu empestes l'éther !". Lorsque l'on demandait aux plus accrochés s'ils allaient continuer longtemps à se faire des "canards" à l'éther, la réponse ne souffrait d'aucune ambiguïté : "Comment des canards ? Nous consommons directement au goulot !". Le café Moineau, rue du Four, était l'un des temples de la consommation de cette drogue au rabais mais les lettristes qui se retrouvaient dans ce café ne succombaient pas tous à cette habitude.

Pour ceux qui recherchaient un refuge provisoire, ne fut-ce que pour la journée, le café Moineau représentait l'endroit idéal. Surtout à partir du moment où les patrons du Mabillon et du Saint-Claude décidèrent de ne plus tolérer les non-consommateurs dans leurs établissements respectifs. Les touristes avaient commencé à affluer et la figuration n'était plus nécessaire. Rien de tel chez Moineau qui était devenu le seul havre de fortune où l'on pouvait éventuellement dormir quelques heures sur une banquette ou, quand on avait faim, se nourrir d'une grosse assiette de riz ou de

comme ça que ça avait démarré. C'était donc un type qui auparavant n'avait strictement rien à voir avec le milieu de Saint-Germain-des-Prés. La mère Moineau était française, bretonne certainement… enfin, je dis ça parce que je connais tellement de couples algéro-bretons, mais je n'en suis pas certain. Je sais qu'avant, ils avaient tenu un bistrot rue Dénoyez, dans le vingtième, tout en bas de la rue de Belleville, un coin qui était un quartier espagnol à l'époque. Il n'y avait pas du tout de Maghrébins comme maintenant, il n'y avait pas non plus de Juifs. Il y avait un tout petit quartier juif de l'autre côté du boulevard, du côté du onzième. Je sais donc qu'il avait ce bistrot-là, je crois que Carco en parle quelque part. La mère Moineau, c'était une dame dont on ne peut pas dire qu'elle était très belle, elle avait un nez un peu crochu, c'est le souvenir que j'en ai. J'ai une photo… elle avait un tablier bleu… elle faisait plus femme de ménage que patronne de bistrot.

C'est elle qui dirigeait le café ?

C'est elle qui était là tout le temps, toute la journée. Moineau y venait vraiment quand il avait fini son boulot, ou avant d'y aller. On le voyait très peu dans le bistrot.

Et la serveuse ?

La serveuse Marithé… j'ai su après, parce qu'à l'époque je m'en foutais complètement, qu'elle couchait avec le père Moineau. Elle était jeune, très gentille, très sympa… elle prêtait de l'argent de temps en temps, elle payait des coups… Logiquement elle aurait dû être complètement paumée, parce qu'elle aussi arrivait de sa campagne… En fait elle s'est très bien intégrée, elle s'est faite à cette ambiance, et puis je crois qu'elle michetonnait un peu aussi par ailleurs, dans le quartier, avec quelques messieurs qui lui donnaient un peu de sous de temps en temps… mais ça se passait très bien avec elle… la mère Moineau, alors, c'était une sainte, c'était notre mère pendant cette époque, elle faisait à bouffer, je crois que c'était assez dégueulasse.

Elle facilitait les choses ?

Oui, elle nous adorait… Joël, quand il piquait des trucs dans les chambres d'hôtel, il les apportait chez la mère Moineau le lendemain matin… elle refusait et puis elle finissait par accepter… elle troquait un réveil contre une bouteille… elle nous faisait la morale, mais bon… Une fois, Eliane et moi avions déménagé à la cloche de bois de l'hôtel des Vosges, qui était à côté, à trois cents mètres de chez Moineau, et on avait les valises de Jean-Claude Guilbert chez nous, qu'on avait déménagées deux ou trois jours avant, pareil, à la cloche de bois, sur le coup des deux-trois heures de l'après-midi, heure vraiment vide dans le quartier, on a balancé toutes les valises par la fenêtre, et on a tout apporté chez Moineau. Il y avait une dizaine de valises. Puis on est partis faire la manche, trouver un peu de sous, boire quelques coups, et une heure après on est revenus avec Eliane. François Dufrêne nous avait aidés à déménager, mais il était reparti. La mère Eliane et moi on revient chez Moineau, et qui voit-on ? La mère Moineau en train de discuter, très gentiment, très calmement, avec la patronne de l'hôtel qui bien évidemment savait qu'on fréquentait Moineau… les deux vieilles dames nous ont fait la morale… c'est pas bien, patati, patata… on a juré qu'on la rembourserait… on ne l'a pas remboursée, on ne

pommes de terre pour un prix très abordable. Les rescapés du Mabillon se fixant de plus en plus chez Moineau, la maison n'avait jamais connu une telle affluence et il n'était pas rare de rester debout pour attendre une place. N'ayant pratiquement pas eu de clientèle jusqu'alors, l'établissement était surtout fréquenté par des buveurs d'eau du robinet mais ceux-ci attiraient désormais les clients plus sérieux. Le petit bouge qui tenait à la fois du bistrot-bougnat et du café borgne sortait enfin de l'anonymat. Ce n'était pas encore très brillant mais l'espoir naissait dans le cœur de Mme Moineau. Peu à peu, elle servit de véritables repas, les bouteilles d'apéritifs et d'alcools sortirent enfin de leur nid à poussière. Parfois, quelques snobs venaient s'encanailler au vin rouge et la patronne put enfin s'offrir les services d'une barmaid mais, comme aux jours les plus noirs, on pouvait encore voir la patronne déjeuner puis dîner d'un quignon de pain trempé dans du café crème.

Moineau était devenu le quartier général de ceux qui allaient se faire connaître plus tardivement sous l'appellation de *situationnistes*. Guy Debord qui allait bientôt abandonner son second prénom, Ernest, y venait quotidiennement en compagnie de Michèle Bernstein, aujourd'hui feuilletonniste littéraire à Libération. On pouvait y voir aussi mon jeune camarade Jean-Michel Mension, qui portait un pantalon blanc constellé de lettres d'imprimerie en couleurs et de slogans lettristes. Je rencontrais parfois chez Moineau mes amis Gil

Wolman et Jean-Louis Brau. Les petits farceurs à l'humour hermétique ne manquaient pas et quelques sinistres canulards s'échafaudaient sur les banquettes de Mme Moineau.

Un petit groupe en rupture avec Isidore Isou prit l'appellation d'Internationale lettriste. Comment imaginer alors que certaines de leurs réflexions annonçaient l'esprit de Mai 68, ainsi ce graffiti figurant sur un mur de la rue Mazarine, en 1953 : "Ne travaillez jamais !". De 1954 à 1957, je recevrai plus ou moins régulièrement le bulletin de l'Internationale lettriste, *Potlatch*, alors que j'avais quitté le quartier. Dans le même temps, l'Internationale lettriste avait émigré du café Moineau vers la rue de la Montagne-Sainte-Geneviève.

MAURICE RAJSFUS,
Une enfance laïque et républicaine
Manya, 1992.

pouvait pas, ce n'était pas un problème de morale, c'était un problème pratique insurmontable. Donc c'était une femme qui nous adorait, qui en même temps avait certainement très envie qu'on devienne des gens sérieux, qu'il ne nous arrive pas de malheur… mais qui nous aimait beaucoup. On était un peu ses petits-enfants.

Malgré la boisson, le haschisch, l'éther, on vous tolérait chez Moineau.

Oui oui, sauf l'éther. De toute façon, si le père Moineau, en arrivant parfois le soir vers minuit, avait trop gueulé, tout le monde se serait barré, on aurait trouvé un autre Moineau. Donc il ne disait trop rien. L'éther, ça n'est pas parce que c'était de la drogue, c'est parce que ça sentait mauvais paraît-il, nous on ne pouvait pas savoir… Et on peut le boire aussi : je n'ai pas bu d'éther pur, mais à une époque, quand on allait à Belleville chez moi, dans la journée, quand mes parents n'étaient pas là, on faisait des cocktails à l'éther.

Quels genres de cocktails ?

Il y avait toujours des bouteilles chez mes parents, qui traînaient des années parce qu'eux ne buvaient pas, c'était pour les invités. On mélangeait les fonds de bouteille, on mettait un petit peu d'éther dedans et on buvait le tout.

LA MÈRE MOINEAU ET MARITHÉ, LA SERVEUSE
PHOTO ED VAN DER ELSKEN

La vie de l'Internationale lettriste ne peut être dissociée de Saint-Germain-des-Prés et du climat qui régnait dans ce quartier. Les membres de l'Internationale lettriste avaient installé leur quartier général chez Moineau, un infâme troquet de la rue du Four où les avaient rejoints des jeunes révolutionnaires qui n'avaient pas été lettristes auparavant. La drogue, l'alcool, les filles – les mineures surtout – faisaient partie du folklore de l'Internationale lettriste, tout un délire existentiel qui transparaît de certains slogans de l'époque que l'on a curieusement revu fleurir sur les murs de Paris en mai 1968 : "L'éther est en vente libre", "Ne travaillez jamais", "Libérez les passions", "Laissez-nous-vivre".

ELIANE BRAU
Le Situationnisme
ou la nouvelle internationale,
Nouvelles éditions Debresse,
Paris, 1968.

JEAN-MICHEL ET FRED
PHOTO ED VAN DER ELSKEN

Tu terminais la nuit au quartier ou tu rentrais encore chez tes parents ?

Il y a eu toute une époque où je rentrais chez mes parents au lever du jour. En gros ils préféraient que je sois là plutôt qu'en prison. J'avais une clé, je rentrais, je piquais ce qu'il y avait à bouffer qui traînait, et puis je repartais avant qu'ils rentrent.

Ce n'est pas le mépris de la famille qui t'a poussé.

Non non, j'avais un impératif besoin de liberté, et je la prenais.

Tu avais l'impression d'avoir trouvé cette liberté en atterrissant chez Moineau ?

Oui, absolument. J'ai trouvé une sorte de famille, qui était différente d'une petite famille parce que tout le monde faisait partie de la famille. Non pas tous, mais la plupart des gens chez Moineau étaient copains, il y avait quelques têtes de Turc d'un tel ou d'un tel mais rien de grave. Et après je me suis retrouvé dans le groupe dit de l'Internationale lettriste.

Est-ce que tu connaissais ceux de l'Internationale lettriste avant de les rencontrer chez Moineau ?

L'Internationale lettriste non, je connaissais Isou, je connaissais le lettrisme, je savais qu'ils faisaient de la poésie lettriste, parce que j'avais certainement entendu Isou au Tabou faire des concerts, des machins.

JEAN-MICHEL MENSION ET JEAN-CLAUDE GUILBERT DE DOS
PHOTO GARANS

Et quels sont les premiers lettristes avec qui tu as commencé à parler chez Moineau?

Le premier, je pense que c'est Guy, sans causer de Berna, que je connaissais d'avant. De toute façon, Berna a signé l'acte de création de l'I.L., mais il n'a jamais participé à son activité. Comme c'était un type connu dans le quartier, il était utile. D'ailleurs, il y avait beaucoup de gens autour d'Isou qui n'étaient pas lettristes du tout, et qui ont signé des textes dits lettristes, ça marchait par bandes.

Vous n'avez pas parlé de ça la première fois?

Si, certainement, mais bon à l'époque j'étais partant d'emblée. Dix secondes après qu'il m'en parle j'étais d'accord. Si c'était pour foutre le bordel j'étais évidemment d'accord. Aucun problème. La première journée passée avec Guy dont j'ai un souvenir précis, c'est le 24 septembre 1952, le jour où j'ai fêté mes 18 ans. 18 ans pour moi c'était extrêmement important, puisque c'était la majorité pénale et qu'à partir de 18 ans on ne pouvait plus aller en maison de correction, on allait en prison. On savait qu'on y allait pour un mois, trois mois, dix ans parfois. Alors qu'en maison de correction il y avait ce qu'on appelle "la vingt et une", l'enfermement avant 21 ans avait été supprimé à la Libération si je ne me trompe pas, mais de fil en aiguille vous étiez d'abord dans une maison d'observation puis après on montait l'échelle si on se tenait mal, et on pouvait y rester très très longtemps, sans jamais savoir quand on sortirait. Et ça c'était quelque chose de tout à fait sinistre, cette façon de nous sous-condamner, c'était une façon de ne pas nous considérer comme de vrais coupables, mais comme des déviants, des choses un petit peu bizarres; comme si on allait se redresser sur

JACQUES HERBUTE DIT BARATIN DEVANT CHEZ MOINEAU

PHOTO ED VAN DER ELSKEN

tout. En fait, c'étaient des maisons de redressement, c'était un peu ça que ça voulait dire, mais c'est le contraire de ce pour quoi elles sont créées… Elles socialisent un petit peu le délit de jeunesse. Alors qu'à partir de 18 ans j'étais un type normal qui pouvait aller en prison comme tout le monde.

Et où as-tu fêté tes 18 ans?

J'ai fêté mes 18 ans sur le trottoir en face du Mabillon. Je crois qu'à l'époque la station de métro était fermée d'ailleurs. Et je buvais, on buvait des litres sur le trottoir avec Debord. D'autres gens sont passés, moi je faisais la manche, eux aussi; pas Debord, mais Debord avait de l'argent, il recevait de sa famille de quoi vivre, parce qu'officiellement il était étudiant; donc pour nous qui n'avions pas un sou, ces gens qui avaient des pensions — il y en avait quand même pas mal —, ça nous permettait de vivre. Ça aussi c'était une différence entre les gens du Mabillon, qui n'osaient pas faire la manche, et quelques zozos de chez Moineau, qui ont commencé à trouver que c'était un moyen de subsistance parfaitement correct.

Je ne peux pas raconter grand-chose du jour de mes 18 ans, car j'ai fini ivre mort. Mais je me souviens très bien qu'on est restés des heures, là, sur le trottoir d'en face, tout le monde venant serrer la main, boire un coup avec nous, nous donner un peu de sous. J'ai dû rester une bonne partie de la journée sur ce trottoir, à boire à la bouteille, moi je buvais du rouge et Guy buvait du blanc si je ne me trompe pas. Oui, je buvais du rouge, donc lui buvait du blanc. Je ne sais pas où j'ai fini la journée, je ne sais pas si je suis allé au commissariat cette nuit-là, s'ils m'ont arrêté ou pas, je n'ai aucun souvenir, strictement aucun.

PIERRE FEUILLETTE ET GUY DEBORD

SUR LE BOULEVARD SAINT-MICHEL

Mais ça a été le début de votre amitié.

Ça a été le début de notre amitié, on l'a scellée là, si on veut. Après on allait boire tous les jours, quasiment tous les jours pendant plusieurs mois. On allait boire tous les deux tout seuls, lui sa bouteille, moi la mienne. C'est lui qui payait en général ; moi j'avais quelquefois des sous, mais en général c'était lui qui payait, et on allait dans la cour de Rohan, petite cour qui donne dans la rue de l'Ancienne-Comédie, dans le passage. Il y a un petit escalier, on s'asseyait en bas, sur les marches, et on soliloquait, c'est-à-dire qu'on a effectivement renversé le monde de fond en comble en buvant parfois un litre, parfois deux... C'était l'apéritif en quelque sorte, et après on allait chez Moineau.

Et dans ces discussions vous refaisiez le monde ?

On le défaisait, on le refaisait. On le défaisait plutôt qu'on ne le refaisait, je crois ; c'était quand même un travail assez important : on discutait. Guy, lui, avait une culture déjà très développée : il avait lu des tas de choses. Moi j'étais la révolte, je suppose que c'est ça qui intéressait Guy, ça et mon passage en maison de correction, et puis le fait aussi que, bien que représentant la révolte, j'étais différent de la plupart des gens du quartier pour qui la création artistique ne comptait pas, ne faisait pas partie de leur univers...

Est-ce que Debord était fasciné par les gens qui étaient en rupture de ban avec la société ?

Oui, en rupture de ban d'une façon ou d'une autre, oui. Mais fascination, pas toujours. Certains venaient de milieux différents, avaient eu des histoires, et étaient allés en taule, mais pour d'autres raisons. Il avait une certaine fascination, surtout pour les jeunes, comme moi, ou comme Eliane, avec qui il avait vécu un petit bout de temps, enfin vécu c'est beaucoup dire, c'était compliqué. Eliane qui deviendra Eliane Brau après avoir été Eliane Mension. Oui, je crois qu'il avait une certaine fascination pour la maison de correction, particulièrement, pour la prison : il trouvait que c'était correct, que c'était normal d'aller en prison quand on vivait cette vie-là…

Que t'apportaient ces conversations sur les marches de Rohan ?

J'avais l'impression d'y voir un peu plus clair, surtout, j'avais l'impression de voir un type qui avait des idées quant à la meilleure façon de détruire cet univers qui nous entourait. Moi j'étais à l'état brut, lui commençait, je ne dirais pas déjà à théoriser mais… Guy n'aurait jamais signé la *Grève générale* ; il signait des choses aussi violentes, mais plus élaborées. Il y avait une espèce de chassé-croisé… C'est la première fois que je rencontrais effectivement un mec dont j'avais l'impression qu'il commençait à répondre aux questions que je me posais par rapport à un monde qui n'était pas le mien, dont j'étais tellement exclu, aussi bien du côté de l'Est que du côté de l'Ouest, du côté des stalinistes que du côté de la bourgeoisie. Et il fallait trouver une réponse. Enfin on n'était pas obligés, on pouvait vivre sans réponse, on pouvait vivre uniquement d'alcool et de came, oui c'est possible, mais moi je n'étais pas fait comme ça et je cherchais une solution. C'est à partir de là que j'ai commencé à discuter avec lui, et qu'il m'a apporté une ouverture essentiellement dans le sens où je n'étais

ELIANE CHEZ MOINEAU
PHOTO ED VAN DER ELSKEN

plus tout seul à me poser ces questions-là. Avant, dans le quartier il y avait une révolte totale, pas de tout le monde mais enfin une bonne partie des gars qui étaient là, des filles qui étaient là : il y avait une révolte complète qui a duré plus ou moins longtemps selon les personnes, mais chez Guy il y avait la recherche d'une réponse, la volonté d'aller plus loin que la révolte, et c'est ça qui était passionnant. Et c'était aussi l'occasion d'approfondir ce qui m'avait bouleversé dans mes lectures. J'avais découvert qu'on pouvait tenter de trouver des solutions à cet univers pourri. Ça ne voulait pas dire qu'on pensait y vivre, à l'époque on ne pensait pas : vivre ou ne pas vivre, on ne pensait pas au suicide non plus, moi j'ai bu comme un trou, comme d'autres, ça n'était pas des suicides, c'était plutôt de l'auto-assassinat, je ne sais pas si on peut voir la différence, vraiment on ne se souciait pas de ces questions-là. Je ne crois pas que les gens se suicident vraiment, je crois qu'ils tentent de se suicider, puis ceux qui ont vraiment envie de se suicider se suicident, mais la plupart des gens, c'est du pipeau. Ça correspond à quelque chose, ils ne le font quand même pas par hasard… Guy m'a aidé à ne pas plonger complètement très vite… Alcoolique, gigolo à temps plein, voleur, tout ce qu'on voudra. Il m'a aidé à rester un peu dans le monde de la pensée et à ne pas suivre l'itinéraire qu'a suivi Joël par exemple. Je ne suis pas certain que je l'aurais fait, parce que je ne suis pas doué, mais Guy m'a servi à penser. Guy, Gil et aussi Jean-Louis à l'époque. Ça m'a été utile de ce point de vue-là : rester les pieds sur terre, c'est drôle de le dire, les pieds dans le rêve, mais le rêve c'est la terre aussi.

Si vous vous croyez

DU GENIE

ou si vous estimez posséder seulement

UNE INTELLIGENCE BRILLANTE

adressez-vous à l'Internationale lettriste

édité par l'I. L. 32, rue de la montagne-geneviève, paris 5⁰

If you believe you have

GENIUS

or if you think you have only

A BRILLIANT INTELLIGENCE

write the letterist Internationale

the L. I. 32, rue de la montagne-geneviève, paris 5⁰

AFFICHETTES DE L'INTERNATIONALE LETTRISTE

GIL J WOLMAN ET JEAN-LOUIS BRAU

TRANSFERT DE J.-L. BRAU

PHOTOGRAPHIE GALERIE 1900-2000

Quelle perception as-tu de l'homme ?

L'impression qui me reste de Guy c'est qu'en fait il m'aimait bien, qu'on était aussi copains, ce qui n'était pas obligatoirement le cas avec tout le monde… Le fait d'avoir été en maison de correction ça l'impressionnait mais ça l'intéressait, j'étais un petit jeune qui avais fait des choses que lui n'était pas capable de faire. Moi j'étais un peu l'existentiel et lui un peu le théoricien, il devait essayer de trouver chez moi le déclic qui fait que, à un moment, tu romps et que tu vis n'importe comment. Lui n'a jamais fait ça, il continuait à penser, à voir des choses, et je lui ai servi un petit peu de référence pendant quelques mois par rapport à ce que pouvait être la révolte de la jeunesse, qui était un truc très à la mode : il y avait l'équipe de Marc' O et de Dufrêne qui publiait *Le soulèvement de la jeunesse*, autre scission dans le groupe lettriste ; moi j'étais un modèle, mais il aurait pu en prendre un autre. S'il m'a choisi, c'est parce que j'avais aussi ce côté pensée, intello, lectures. Ivan Chtcheglov aussi, bien plus que moi d'ailleurs. Il n'a pas pris comme modèle des gens qui devaient se casser la gueule et aller trop loin. Il avait des rapports avec des gens comme ça, mais plus en tant que gardes du corps, des gars qui représentaient la force, le crime organisé si on veut, Ghislain par exemple. Il n'y avait pas de rapport de domination, parce que je m'en foutais complètement. Et puis j'étais conscient, c'était évident, qu'il en savait plus que moi, qu'il avait lu des tas de choses que je n'avais pas lues et qu'il m'a expliquées. J'ai beaucoup appris, ce qui m'évitait de lire, m'évitait de regretter d'avoir arrêté l'école ; il m'apprenait des trucs sur les penseurs, sur la pensée, et moi plutôt sur la pratique, sur l'acte… Lui devait savoir ce qu'il faisait, moi non. Il y avait un type intelligent, découvreur, chercheur, et puis un mec qui comme moi, à sa façon, n'acceptait absolument pas le monde, et c'était ça le lien réel. Enfin, ensemble on devait foutre en l'air ce monde tout simplement, c'était un partenaire tout à fait valable pour faire ça.

On a l'impression que, dans l'itinéraire de Debord, il y a eu des rencontres qui lui ont permis de cheminer dans une certaine direction, et puis de passer au stade suivant, d'aller ailleurs?

C'est un peu ça, je ne peux pas dire qu'il prenait ce qu'il y avait de mieux chez les gens et qu'il l'intégrait dans son système, mais c'était un peu ça, oui. Ça n'est en rien condamnable, au contraire. Guy était un type d'une grande finesse, d'une psychologie très fine. D'un certain côté il était très agréable, Guy, c'était aussi ça. Mais évidemment c'était orienté, il était comme ça parce qu'il cherchait. Et il y a un autre côté de Guy, un certain courage : il était prêt à rompre mais il ne savait pas toujours très bien ce qu'il allait trouver la fois d'après. Donc le risque de la solitude... Là-dessus il a toujours été très strict, il n'a jamais gardé de contacts quand il n'avait plus envie de les garder, sauf des petits trucs utilitaires. Je n'ai jamais compris par exemple pourquoi il restait avec ce crétin de Conord, peut-être parce qu'il l'amusait aussi, et puis Conord était pratique... Je comprends très bien pour Midou, qui était un bon copain, qui n'avait rien à voir avec la littérature, qui s'en contrefoutait, qui était un pote de Guy et jouait un rôle dans le groupe bien sûr. Difficile de dire que Guy était un homme d'action, mais il avait une pensée d'action et il ne voulait pas s'enfermer dans le soliloque... Il avait un but dans la vie qui était un peu plus précis que le nôtre. Nous, nous avions un but très généraliste, détruire ce monde et

GUY-ERNEST DEBORD

après se mettre à causer de ce qu'on pourrait mettre à la place, et lui avait quand même une vision du comment le détruire. Nous, on restait assez primaires sur ce terrain-là. Moi j'avais aussi une idée du huitième art, du dépassement de l'art : le seul art réel c'est la vie. Et je l'avais avant de connaître Guy, c'est aussi ça qui a fait qu'on s'est rencontrés.

Vous vous voyiez dans la journée, vous buviez ensemble, vous alliez dans les cafés, vous discutiez…

Dans l'après-midi plutôt, parce que moi je me levais en général assez tard ; lui se levait beaucoup plus tôt. Il habitait à l'hôtel, rue Racine, je ne sais pas du tout ce qu'il faisait dans la journée… Il avait une vie du point de vue chronométrique à peu près réglée, il ne rentrait pas trop tard… Moi souvent je terminais à six heures du matin. Pendant toute l'époque où j'ai connu Guy je rentrais chez moi le matin cinq minutes après que ma mère était partie travailler. Lui partait relativement tôt, vers minuit une heure : il restait rarement jusqu'à la fermeture de chez Moineau, en général il partait, je suppose, quand il considérait qu'il était à niveau, qu'il avait assez bu… Il était méthodique. Il devait boire tout seul, avant que moi je le rencontre vers six heures. Je n'ai jamais vu Debord ivre mort. Je me souviens de certains de ses départs où il était vraiment limite, mais pas le verre de trop, alors que moi c'était les verres de trop.

Tu lui as rendu visite à l'hôtel de la rue Racine ?

Une fois ou deux. J'étais très étonné de le voir, de voir un monsieur dans une robe de chambre très classique, très bourgeoise, bordeaux avec la

CLAUDE STRELKOFF, KAKI, ÉLIANE DERUMEZ, JOËL BERLÉ, PIERRE FEUILLETTE
ET GARANS (DE DOS) CHEZ MOINEAU
PHOTO ED VAN DER ELSKEN

ceinture, je me suis dit : "Tiens, c'est drôle." Je n'ai pas cherché plus loin.

La plus grande partie de votre temps était donc consacrée à boire…

Oui, on faisait même des concours. Ça consistait simplement à prendre un verre de bière vide et de le remplir, pas avec de la bière mais avec du rhum Negrita. On remplissait le verre de 25 centilitres de rhum et il fallait boire cul sec. C'était la sélection naturelle… enfin, je ne sais pas si c'était tellement naturel.

Il y avait combien de participants au départ ?

Il n'y en avait pas des masses de participants, parce que tout le monde avait la trouille. Et ceux qui ont réussi il y en a cinq, dont Guy, moi évidemment, Joël je crois et deux autres zozos, le gros Fred et Feuillette si je me souviens bien.

Et combien de demis de rhum fallait-il boire ?

Il fallait en boire un, si on réussissait à en boire un cul sec on était admis dans la… parmi les vrais ivrognes.

Dans la confrérie ?

Non, on n'aimait pas beaucoup ce mot-là, j'ai failli le dire, mais ça n'était pas ça exactement.

Mais il y avait un peu de ça.

Oui, mais c'était quand même l'histoire de se tuer un peu plus vite : on a bu des bouteilles de vin blanc cul sec, on a bu aussi des litres de bière, ce qu'on appelait les formidables, cul sec aussi, on avait une contenance assez extraordinaire, question d'entraînement je crois.

Peut-être que certains ont commencé à boire par mimétisme mais il y en a bien qui commencent à faire de la politique parce qu'ils ont fait l'amour avec un membre du parti communiste. Mais si je prends les individus, Guy a commencé à boire avant que je le connaisse, tout jeune. Brau a commencé à boire tout jeune, avant que je le connaisse. Guilbert a commencé à boire tout jeune, en 44 ou 45. Et puis on s'est retrouvés. On était déjà tous des buveurs. Enfin tous, je cite ces gens-là. Joël a commencé à boire… quand je l'ai connu, il buvait déjà. Il y avait des gens qui buvaient chez Moineau. C'est une des raisons qui font que les gens y allaient. Il y avait des gens qui ne buvaient pas. Ils ne sont jamais venus chez Moineau, ils sont restés au Mabillon. Nous, on se retrouvait toujours chez Moineau, et là il n'y avait pas de fric. Donc quand tu arrivais, tu en avais cinq assis à la table qui disaient : "Combien t'as de sous ?" Tu te fouillais, tu disais : "cinquante francs", à l'époque le litre de vin coûtait quatre-vingts francs à la tireuse, une table de sept commandait un litre, lequel litre de vin était réparti, selon les soifs d'ailleurs, en autant de verres jusqu'à ce que quelqu'un repasse, et ça recommençait.

Guy a toujours bu d'une façon incroyable, il buvait du matin au soir par petits coups. Mais, tant que ça ne s'est pas vu, c'était très difficile de dire qu'il était alcoolique. Il était imbibé. Un jour on trouve un type en train de casser la gueule à Guy qui ne pouvait pas se défendre tellement il avait bu. Tout

JEAN-MICHEL ET FRED
PHOTO ED VAN DER ELSKEN

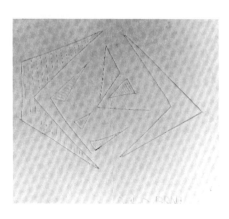

le monde est sorti de chez Moineau, les uns après les autres, pour casser la gueule au type. Je me rappelle Jean-Claude rentrant et disant : "Ah, je lui en ai mis un", etc. Tonio se levant et disant : "Bon ben j'y vais", Tonio rentrant et disant : "Je crois qu'il saigne un peu", etc.

Brau, par exemple, était complètement alcoolique, très jeune. Quand il touchait sa paye, son machin ou sa retraite de je ne sais pas quoi, on la buvait quasiment en une nuit. Quand Fonta vendait un tableau, en général il passait chez Moineau et à quelques-uns, c'était une cuite jusqu'à l'aube. Au petit matin, à l'ouverture des bouchers, il achetait un kilo de viande et il bouffait sa viande crue avant de rentrer chez sa bonne femme. Il y avait souvent des affaires comme ça et donc pas mal de jours d'ivresse complète. Il y avait des moments où il n'y avait pas beaucoup à boire, c'est-à-dire juste une bouteille par heure, pas plus. L'alcool était un ruisseau permanent, mais on voyait des pierres dans le ruisseau, ce n'était pas un fleuve, c'était un ruisseau qui s'asséchait selon les heures de la journée. Moi j'ai bu parce que je n'arrivais pas à vivre à jeun. C'est tout simple, ce n'est pas par bonne ou mauvaise volonté : pour survivre, pour continuer à vivre, j'avais besoin du hasch et de l'alcool.

Qu'est-ce que vous faisiez d'autre chez Moineau, à part boire ?

On chantait aussi chez Moineau. On chantait beaucoup, on jouait aux échecs, on se racontait des livres, on s'engueulait sur des... Il y a eu cette histoire du jeu de la vérité, une histoire merveilleuse. C'était la mode chez les mandarins, les gens ceci les gens cela ; ce jeu se terminait très mal puisque tu poses des questions et tout le monde doit répondre exactement la

PIERRE FEUILLETTE ET FRED, PHOTO ED VAN DER ELSKEN

vérité ; donc tel peintre s'était fâché avec tel peintre parce que tel peintre avait couché avec la fille de ceci… Chez les adultes le jeu de la vérité faisait des ravages, alors un jour, quelqu'un dit : "On va jouer au jeu de la vérité chez Moineau." On se met là et on joue au jeu de la vérité. Naturellement pas pour des questions comme : "Dis Paul, t'as couché avec Françoise ? – Mais oui, tu le sais bien", etc., etc. ; il n'y avait rien à dire, rien à dire, tout le monde savait tout, alors au bout d'un moment le jeu de la vérité s'est terminé en querelles monstrueuses : "J'ai toujours pensé que tu avais des tendances trotskistes ! — Toi, mal sorti d'un boukharinisme stupide !" C'était devenu une grande discussion : "Au fond tu as encore des attaches surréalistes. – Mais n'as-tu pas une tendance vers le Parti ? – Trotskiste un jour, trotskiste toujours", etc. C'était un endroit où on était tellement libres, personne ne cachait rien à personne. Ce jeu de la vérité ne pouvait strictement se terminer que sur : "Surréaliste mal dégrossi", etc. C'était très très beau.

Comment s'est produite la rencontre avec les autres lettristes ?

Gil et Jean-Louis je les ai connus quelques jours après, parce que Debord me les a présentés. C'était le tout début de l'*Internationale lettriste*, ils sont venus chez Moineau, on a bu, on a fumé, et du jour au lendemain ils sont devenus des copains. Au moment du numéro 2 de l'*Internationale lettriste*, notre rencontre s'est concrétisée sur ce petit truc ronéoté. J'ai été le premier adhérent à ce groupe-là, mais eux avaient déjà un passé. C'étaient les trois vrais. Le quatuor c'était ce trio, plus Berna. Moi, donc, j'ai été le premier adhérent de l'Internationale lettriste après sa constitution par le quatuor.

Les trois vrais fondateurs, le trio Debord, Wolman, Brau, avaient déjà des idées. Ils avaient scindé le groupe lettriste sur des positions qu'on peut dire de gauche et ils avaient déjà pas vraiment un programme, mais quelque chose de construit dans la tête. Les autres lettristes "historiques", Isou, Pomerand et Lemaître étaient un peu plus âgés et bien davantage tournés vers l'activité poétique et artistique. La rupture a eu lieu en novembre 1952, à l'occasion du tract contre Chaplin, signé par Debord, Berna, Brau et Wolman, et dont Isou, Pomerand et Lemaître se sont publiquement désolidarisés.

C'est à Aubervilliers que s'est constituée l'Internationale lettriste?

Officiellement oui. Je n'y suis pas allé. Je les connaissais déjà, mais je n'y suis pas allé pour une cause toute simple : ébriété, ébriété profonde, et en plus on s'était fait draguer avec un copain, Patrick Straram, qui d'ailleurs a signé quelques textes de l'I.L. et qui après partira au Canada. Là-bas il est devenu une sorte de gourou avant-gardiste, avec une plume sur la tête et un nom indien, Bison ravi. Il avait écrit avant de partir un bouquin qui a été refusé par tout le monde, qui racontait en fait une soirée chez Moineau, une nuit chez Moineau, une dérive de chez Moineau jusqu'au bistrot d'à côté. Ça n'a pas été publié et c'est dommage parce que c'est le plus beau des textes qui aient été écrits sur le quartier à cette époque-là. Je me souviens que j'avais un petit rôle là-dedans, je me contentais de dire "OK Néron", ça revenait comme ça de temps en temps, bref, il y avait Guilbert, il y avait toute l'équipe de chez Moineau décrite, à mon avis avec talent, c'était très bien foutu, ça reflétait bien la vie à l'époque, débordements permanents.

GIL J WOLMAN

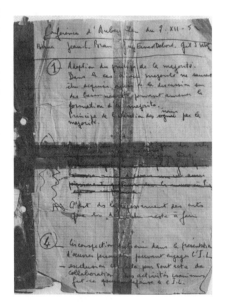

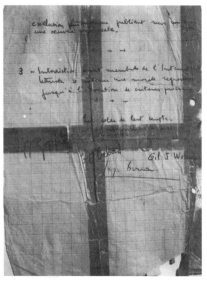

PROTOCOLE
DE LA CONFÉRENCE D'AUBERVILLIERS
DU 7 XII 1952

Straram buvait comme un trou. Il était tout le temps dans des emmerdes parce qu'il ne supportait pas l'alcool, et qu'il faisait des conneries. Il a fini plusieurs fois au dépôt et même à l'hôpital psychiatrique. Une fois, il y a passé quinze jours et il ne voulait plus en sortir. Une autre fois il était bourré d'absinthe, ramenée d'Espagne, et comme il était encore mineur et qu'il avait déjà eu des problèmes, il avait très peur de papa et maman, malgré tout (il avait encore sa chambre de bonne rue de la Tour dans le seizième). Il était avenue de l'Opéra un couteau à la main et menaçait les passants en disant : "Dis-moi le chemin de telle rue ou je te plante." Evidemment les flics sont arrivés et ont dit : "Qu'est-ce qu'il se passe, jeune homme ?" Et lui il a nié jusqu'au bout – c'est une histoire de fous – avoir bu plus d'un verre. On a donc dit : "il est fou", et on l'a interné à Ville-Evrard. C'est Totor l'ivrogne, appelé Totor l'ivrogne parce qu'il buvait peu, qui l'en a fait sortir. Il ne s'appelait d'ailleurs pas Totor, mais Renaud. Et il voulait être psychiatre. Mais ça a été un boulot de faire sortir Patrick.

Tout cela parce que s'il avait dit "J'ai bu une demi-bouteille d'absinthe", il aurait été arrêté pour ivresse sur la voie publique et amené immédiatement chez Monsieur et Madame Straram, et se serait retrouvé dans les emmerdes.

Pour en revenir à Aubervilliers, ce que les copains m'ont raconté, quand ils sont revenus, c'est qu'ils avaient jeté une bouteille à la mer, c'est-à-dire dans le canal d'Aubervilliers. Ce fut l'acte fondateur de l'I.L. Il y avait Gil, Jean-Louis et Guy, ça c'est sûr, mais je ne peux pas certifier que Berna y était ; de toute façon Berna était assez extérieur à l'I.L., c'était un vieux de la vieille du quartier, il avait sa réputation, très justifiée d'ailleurs…

Il était plus âgé que vous ?

Oui, il devait être de la génération 25-26, ceux qui avaient connu la belle époque, que moi je n'ai pas connue, du trafic de cigarettes, à la Libération, avec les Américains. C'était un mec assez génial.

Est-ce que tu en as connu d'autres, qui ont fait le trafic de cigarettes ?

Il y avait Jean-Claude Guilbert, né en 26 : un personnage, c'est le moins qu'on puisse dire. Il était arrivé au quartier avec un poète surréaliste dont le nom m'échappe. Un jeune, qui a écrit pendant un certain temps, est passé à la peinture, et s'est suicidé. Ils habitaient rue de Crimée, mais sa destination première en venant à Paris c'était Pigalle, et il s'est très vite rendu compte que c'était assez dangereux comme quartier, parce qu'il avait aussi une spécialité : il avait été joueur professionnel, interdit des casinos comme beaucoup de joueurs professionnels… On ne tient pas longtemps dans ce métier, à moins d'être vraiment génial. Enfin il a gagné sa vie comme ça… en suivant des capitaines de bateau à Rouen. Il était très jeune à l'époque et il avait des capacités alcooliques assez extraordinaires, il les a toujours gardées d'ailleurs, et son boulot c'était de soûler les capitaines de bateau ; pendant ce temps-là les gars allaient faucher des caisses de cigarettes, d'alcool… Jeunesse donc assez mouvementée. Après être allé au lycée Corneille, il a atterri au quartier. Il restait quand même encore relativement sérieux, il a travaillé un peu. Officiellement il était chef du personnel dans une petite usine de fabrication de télés au moment où on l'a connu, et il incitait les filles à faire grève, du coup il n'est pas resté longtemps

CONFÉRENCE D'AUBERVILLIERS
DU 7 XII 52
SERGE BERNA, JEAN L. BRAU,
GUY-ERNEST DEBORD,
GIL J WOLMAN

1-Adoption du principe de la majorité. Dans le cas où une majorité ne saurait être acquise, reprise de la discussion sur des bases nouvelles pouvant amener la formation d'une majorité.

Principe de l'utilisation des noms par la majorité.

2-Acquisition de la critique des arts et de certains de ses apports.

C'est dans le dépassement des arts que la démarche reste à faire.

4-Circonspection extrême dans la présentation d'œuvres personnelles pouvant engager l'I. L.

-Exclusion *ipso facto* pour toute acte de collaboration à des activités isouiennes fût-ce pour la défense de l'I.L.

-Exclusion de quiconque publiant sous son nom une œuvre commerciale.

3-Interdiction à tout membre de l'Internationale lettriste de soutenir une morale régressive jusqu'à l'élaboration de critères précis.

Pour solde de tout compte.

A Aubervilliers le 7 XII 52

Signatures :

BRAU,
DEBORD,
BERNA,
WOLMAN

PATRICK STRARAM

dans cette boîte… et puis, de fil en aiguille, il est devenu comme nous. Il était très doué pour, c'était une immense intelligence, mais un refus de la société… je ne peux pas dire plus fort que Guy, mais peut-être un peu quand même. Et il a toujours refusé d'admettre qu'il était un intellectuel de haut niveau : il a travaillé pendant des années à la campagne, il est parti à Bonnieux, dans le Vaucluse, il est parti à Belle-Ile, il est parti dans différents coins, plusieurs années. Il travaillait, il était maçon, il se tuait à travailler pour essayer de faire croire qu'il était vraiment devenu autre chose qu'un intellectuel. Personne ne l'a jamais cru bien évidemment. Il y a eu un petit passage dans sa vie un peu différent : il était tombé à l'époque sur Jacques Kebadian, l'assistant-réalisateur de Bresson, qui l'a fait tourner. Il a un rôle important dans *Balthazar* et dans *Mouchette*. Sinon c'était un alcoolique fabuleux : je me souviens qu'un jour il est sorti du commissariat, il est arrivé chez Georges et il a demandé un verre de toutes les bouteilles qui étaient dans le bar. Il devait y avoir une trentaine de boissons différentes, et il a bu tout le bar. Guy ne se serait jamais amusé à faire des choses pareilles, ça c'était du délire alcoolique de la part de Guilbert… A l'époque, quand je l'ai connu, en 52 donc, il recevait une pension de ses parents, une petite pension, mais enfin de quoi vivoter, et on la buvait en une nuit, enfin on buvait ce qu'il restait, parce qu'en général les dettes couvraient une très grosse partie de la pension. Le lendemain matin de l'arrivée de la pension il n'avait plus un sou, ça recommençait le mois suivant et encore le mois suivant. Voilà. Il traînait chez Moineau, mais il n'a jamais fait partie du groupe. Quand Debord nous a virés, Eliane et moi, on s'est retrouvés chez Moineau, et là, avec Jean-Claude, on est devenus proches. Je ne peux pas dire que c'était un copain, c'était autre chose, pas

JEAN-CLAUDE GUILBERT JOUANT ARSÈNE DANS *MOUCHETTE* DE ROBERT BRESSON

JEAN-CLAUDE GUILBERT
DANS *MOUCHETTE*

un maître, mais c'est l'un des seuls types, peut-être le seul, même, dont il me soit arrivé d'écouter les conseils et de considérer qu'il savait des choses mieux que moi. Des conseils très fonctionnels, très pratiques… Ce n'est pas lui qui m'a appris le "N'avouez jamais", parce que ma maman me l'avait appris quand j'étais tout petit, mais c'était des conseils face à la société : ne canne jamais, refuse toujours, n'accepte jamais de te faire avoir, tiens jusqu'au bout. Lui aussi à sa façon, tout à fait différente de la mienne et de celle de Guy, a tenu jusqu'au bout. Il n'a jamais canné ; il est toujours resté tout à fait insupportable pour la société. Pour les mots assassins, c'était le meilleur avec Guy, et à l'époque même meilleur que Guy. Il avait écrit une lettre quand il était à la Santé au directeur de la prison pour réclamer une fourchette, expliquant qu'il ne pouvait absolument pas manger avec la cuillère vu la largeur de ses mâchoires. C'était une lettre assez extraordinaire, et des gens lui demandaient des conseils pour écrire. Debord, on le connaissait peu sous cet aspect-là à l'époque, il était gentil ; à part les textes contre Isou, mais qui étaient plus des textes littéraires, si on veut, que des lettres d'insulte. Après je crois qu'il s'est largement rattrapé. On peut dire qu'en fait il n'y avait pas de place pour deux intelligences telles que celle de Guy et celle de Jean-Claude Guilbert chez Moineau, et donc il fallait qu'il y en ait un qui parte. De toute façon, l'aventure de Jean-Claude était totalement individuelle. Jean-Claude ne pouvait pas faire ce que faisait Guy. La réussite pour Jean-Claude c'était de ne rien faire.

Tu dis qu'il n'y avait pas de place pour deux intelli-gences comme les leurs, j'ai entendu à peu près la même chose à propos de Hundertwasser, le peintre autrichien qui, lui aussi, était passé chez Moineau.

C'est tout à fait possible, il y avait ce genre de personnages, il y en a plusieurs qui sont passés par là. Hundertwasser on l'a rejeté, le jour où Michèle Bernstein l'a amené chez Moineau avec son bonnet en laine. Il n'a pas réussi l'examen d'entrée. C'était un monde assez clos, et il y avait une sélection, juste ou pas juste, c'était parfaite-ment arbitraire. Mais je me souviens peu d'Hun-dertwasser, j'ai plus de souvenirs de Fuchs, l'autre peintre qui est devenu célèbre, et de la petite dame avec qui il vivait. C'était un illuminé un peu mystique, qui fumait si je ne me trompe pas, mais il ne faisait pas partie de la bande, on les voyait, deux ou trois fois maximum, on se retrouvait tous ensemble sur la banquette. Donc il était là, assez régulièrement à une époque ; on savait à peu près qu'il peignait parce que lui ou sa nana avaient toujours un petit carton avec des dessins, des esquisses. Ça faisait un peu roman-tisme allemand, un peu Jérôme Bosch. Après je ne sais pas très bien ce qu'il est devenu, j'en ai entendu parler comme ça dans les journaux… Mais c'étaient des personnages du quartier, ils étaient tout à fait dans le coup. Je crois qu'ils buvaient moins que nous, quand même.

Pour en revenir à Guilbert, tu es resté en contact avec lui…

Toute sa vie. Je suis allé habiter avec lui dans le Vaucluse à une époque, je suis resté en contact quand il était à Belle-Ile, il y est resté plusieurs années, et puis c'est moi qui ai découvert son corps…

Dans quelles circonstances ?

Il avait un cancer du larynx, il a bien évidemment refusé de se soigner, et il est mort dans son lit… Il habitait dans le neuvième, une petite rue assez belle avec une grande cour, qui était je crois une ancienne caserne…

Et c'est en lui rendant visite que tu l'as découvert ?

Tous les mardis, il y avait en principe le déjeuner des anciens et un jour il n'est pas venu, je lui ai téléphoné, il m'a dit qu'il était fatigué. Je suis passé chez lui le lendemain, ça ne répondait pas. Le surlendemain j'ai dit à ma copine : "Ecoute il faut qu'on y aille." Il ne répondait pas, on a appelé les pompiers, ils sont passés par la fenêtre. Je l'ai découvert juste en chemise sur son lit, mort. Eh bon, voilà, on l'a enterré. C'était en 91.

Quel sentiment avait-il de cette époque ?

Il aimait toujours beaucoup Debord et Wolman, énormément même. Il était très copain avec Sacha Strelkoff. Il adorait Raymond Hains et sa drôlerie, ses jeux de mots, sa façon de raconter l'art… Il avait gardé un très bon souvenir de l'époque, du vieux Serge, des vieux copains et tout.

Et Raymond Hains ?

C'était un personnage qui ne faisait pas exactement partie du groupe mais qu'on voyait assez fréquemment. Il était moins bavard que maintenant, mais parlait pas mal quand même, toujours aussi hors du temps, hors du monde, tout à fait sur sa planète…

Moi j'ai travaillé sur un film qui s'appelait *Péné-lope*, jamais terminé bien évidemment... C'était des photos de Raymond Hains. Il utilisait un hypnagogoscope, si je ne me trompe pas. C'était simplement un appareil de photo avec au lieu d'un verre plat un verre cannelé, qui déformait systématiquement les images. Il faisait ça sur une espèce de rail. Il avait bricolé ce machin-là et ça donnait des taches qui changeaient. C'est Eliane et Spacagna, un autre de la tribu, que j'ai connu à peu près en même temps que Dufrêne, qui faisaient les rôles d'intervallistes, comme dans le dessin animé quand on superpose des dessins ; et moi je développais les photos dans un cagibi. Il y avait Jacques de la Villeglé, bien sûr, qui travaillait avec Hains. Ça a duré plusieurs mois, on a essayé de faire un film mais jamais réussi à aller jusqu'au bout. De toute façon avec Hains c'était impossible, donc ça n'était pas grave.

Il a fait une rétrospective à Beaubourg, il y a quelques années, je crois qu'il avait deux ans de retard. La direction lui a prêté un petit apparte-ment rue Quincampoix, juste derrière Beau-bourg, au coin de la rue de Venise. Ça peut servir d'atelier, et ils sont à côté de Beaubourg pour préparer leur exposition. Lui est resté là-dedans pendant plus de deux ans : l'exposition a été retardée, il est resté un an de plus, et puis il est resté encore six mois après son exposition, le temps de déménager... Au bout de six mois des copains sont venus et lui ont tout déménagé. Ils l'ont mis dans l'ex-atelier de Brancusi. Quand on a refait l'atelier de Brancusi on a jeté une partie des œuvres de Hains. Et c'est chez lui que j'ai commencé ma relation avec Eliane : on dormait sur des milliards, enfin, des millions. On y dor-mait souvent, parce qu'il avait deux lits. Il y avait La Villeglé, le grand copain de Hains à l'époque, et puis d'autres gens venaient... Hains était dans

Au café Moineau j'ai connu des amis de Dufrêne, qui à l'époque n'étaient plus avec lui : certaines divergences d'opi-nion les avaient séparés.

Mais la première personne à m'y avoir emmené c'est Jean-Michel Mension. J'avais fait sa connaissance au café de la Pergola devant le métro Mabillon. J'étais assis avec une énorme fille qui devait bien peser 300 kilos, lorsque Jean-Michel Mension et un ami sont venus la saluer car ils la connaissaient. Jean-Michel a bu un verre avec nous et c'est avec lui que j'ai commencé à fré-quenter le café Moineau.

Pendant les vacances je travaillais avec Villeglé au film abstrait à Saint-Servan, lorsqu'on a reçu une lettre de Jean-Michel nous disant qu'il avait fait la connaissance de quelqu'un de très sym-pathique qui s'appelait Guy Debord. Debord connaissait Wolman et Brau puisqu'ils avaient participé ensemble au mouvement lettriste avant de rompre avec Isou.

Quant à Serge Berna dont je t'ai déjà parlé il fréquentait le café Moineau mais je l'avais connu bien avant, à mon arri-vée à Paris quand il avait poussé Michel Mourre à faire "le scandale de Notre-Dame".

Pendant que Dufrêne et Marc' O fon-daient en 52 Le *Soulèvement de jeunesse*, Debord, Brau et Berna fondaient la dissi-dente Internationale lettriste qui sera une des composantes de l'Internationale situationniste quelques années plus tard.

Entretien de Raymond Hains avec Aude Bodet, à Paris, le 3 mai 1988.

JACQUES DE LA VILLEGLÉ
PHOTO BARATIN

un lit, Jacques dans l'autre et nous on a dormi souvent par terre, pas exactement par terre mais sur une épaisse couche d'affiches lacérées qui, au prix où est montée leur cote il y a plusieurs années, pas maintenant je crois, valaient une fortune, on a dormi sur une fortune… et ça ne nous a pas fait de mal du tout.

A cette époque, toujours dans le même bistrot, tu rencontres aussi Gil Wolman.

Gil était discret, gentil, d'une gentillesse incroyable, je ne l'ai jamais vraiment entendu élever la voix, sauf de temps en temps, sauf quand il récitait ses poèmes, c'était autre chose, et bon, tout le monde aimait Gil. Une anecdote : on a un moment habité une dizaine de jours sur une immense péniche aménagée dans le port de Paris, enfin près du pont Alexandre-III, je crois. Il y avait une fille, une copine qui était censée la garder pendant l'absence du propriétaire, et puis on s'est retrouvés assez rapidement à cinquante ou cent sur cette péniche. Il a fallu évidemment élire des responsables, et limiter… Gil a été élu Dieu, moi j'étais le mousse, Guilbert était le capitaine, c'était sa place.

J'ai habité chez Gil, Jean-Louis aussi d'ailleurs, on n'avait pas de piaule, et je ne sais plus comment était foutue la maison de sa mère exactement, mais enfin il y avait un escalier de service qui n'était plus utilisé, et sa mère avait son atelier. Il nous avait installé des matelas sur le palier où l'on dormait régulièrement, et Gil nous apportait le petit déjeuner le lendemain matin…

Chez ses parents?

Chez sa mère, qui était dans les tissus, du côté de la rue Saint-Denis; son père est mort en déportation.

Et Gil menait en apparence une vie extrêmement normale?

Voilà.

Et Gil n'était pas du tout normal?

Non, c'était un génie à mon avis, et ce n'est pas normal d'être un génie.

Il y avait des paradoxes chez lui?

Oui, oui, enfin je sais, j'ai appris parce que je l'ai connu un peu, je savais qu'avec son coéquipier Jean-Louis — c'était un drôle de couple d'ailleurs, autant Gil était parfaitement normal du point de vue de la vie quotidienne autant Jean-Louis était un obsédé, un fou, tout ce qu'on voudra —, ils avaient été au C.N.E. d'Elsa Triolet, ils l'avaient quitté, ils étaient entrés ensemble chez les lettristes. Ils étaient vraiment très très proches, ils sont partis en Algérie ensemble, ils ont connu Senac…

Qu'est-ce qu'ils ont fait en Algérie?

Je ne sais pas exactement, je crois qu'ils voulaient traverser le Sahara en stop, et puis ça n'a pas marché, ils se sont arrêtés en route. Gil est revenu et Jean-Louis est resté un peu là-bas.

Des jeunes lettristes, comme Gil J Wolman et Jean-Louis Brau s'étaient connus au groupe des jeunes poètes du Comité National des Ecrivains d'obédience communiste sous la férule décrépie d'Elsa Triolet. … Une anecdote est significative de l'ambiance qui régnait au C.N.E Dans le grand salon, d'une manière très bourgeoise, chaque poète récitait un poème, adossé à une cheminée monumentale. Lorsqu'il avait terminé, les assistants assis en rond notaient le poème de 1 à 10, essayant de lire sur les traits d'Elsa Triolet s'il fallait donner une note faible ou élevée. Madeleine Riffaud relevait les notes, faisait la moyenne et les poèmes qui avaient la meilleure appréciation étaient publiés le vendredi suivant dans les *Lettres Françaises*. Au cours d'une séance, Jean-Louis Brau lut un poème quelconque, d'esprit dadaïste, sur les luttes ouvrières. Elsa Triolet constata dédaigneuse : "Il aime Artaud." Certains de ses sigisbées comprirent "Il est marteau" et de surenchérir "Oh, oui, il est complètement fou", etc., jusqu'à ce que se déclenche une bagarre générale!.. A cette acception du jeu correspondait celle de la "fumisterie" : "Avec Wolman, on ne sait jamais si c'est de l'art ou du cochon. N'attendez pas qu'il se mette à table. Je le connais. Il brouillerait plutôt les cartes. C'est un fumiste. La pensée qui saille l'esprit ne s'intègre pas dans la raison, elle est fumisterie. Le dépassement de soi (fumisterie) germe de toutes les créations…" (Gil J Wolman).

ELIANE BRAU, *Le Situationnisme ou la nouvelle Internationale*, Paris, Nouvelles éditions Debresse, 1968

… Je suis rentré ! Pour ma part il ne s'est rien passé, dans le sens où l'entendait le rédacteur en chef du journal d'Alger. Où en avais-tu laissé les choses ? Joël est sorti depuis longtemps, liberté provisoire. Liberté également pour Jean-Michel et Fred (vol à la roulotte – en état d'ivresse, bien sûr). Eliane, la petite, est sortie du dépôt la semaine dernière après une arrestation dramatique dans une chambre de bonne quelque part à Vincennes avec Joël et Jean-Michel (dois-je dire qu'ils étaient ivres) refusant d'ouvrir à la police qui est revenue en force. Ils ont perdu dans l'histoire le cachet de l'I. L. Linda pas encore jugée. Sarah toujours en maison, mais sa sœur, seize ans et demi, a pris la relève. Il y a d'autres arrestations pour stupéfiants, pour je ne sais plus, mais c'est fastidieux. Il y a G. E. qui a passé dix jours dans une maison de repos où on l'avait envoyé (ses parents) après un suicide manqué au gaz. Il est maintenant de retour au quartier. Serge doit sortir le 12 mai. Avant-hier j'ai copieusement dégueulé chez Moineau.
Le dernier amusement du quartier est de passer la nuit dans les catacombes (encore une trouvaille de Joël). J'ai de nombreux projets mais qui en resteront là…
Lettre du 20 juillet 1953
de Gil J Wolman
à Jean-Louis Brau au Sahara

Jean-Louis, enfin sa famille, était originaire d'Orléansville. Il était donc un petit peu, non pas chez lui, c'était un salaud de pied-noir, mais il était dans un pays qu'il connaissait. Gil c'était ça, c'était vraiment le père tranquille, ce qui ne l'empêchait pas de boire, mais pas énormément je crois, il était assez prudent ; ça ne l'empêchait pas non plus de fumer. Une nuit on s'était retrouvés dans un hôtel du côté du Vieux-Colombier et Gil a passé à peu près la nuit à dire on ne sait quoi, on ne comprenait rien, et à gratter le tapis tellement il était défoncé, mais il faisait ça très très gentiment, très très calmement.

C'était pourtant l'époque où il réalisait L'Anticoncept, *où il faisait ses mégapneumies…*

Oui, là il faisait encore les mégapneumies, on a fait deux séances, je crois, au Tabou.

Comment cela se passait-il au Tabou ?

J'ai très peu connu le Tabou, le Tabou c'était la génération d'avant. J'y allais de temps en temps parce qu'on atterrissait là comme on pouvait atterrir dans un autre bistrot, il y avait quand même du jazz. Mais j'ai participé à deux séances au Tabou. En général on avait un peu bu à chaque fois. C'est Gil qui menait le bal. Guy, lui, n'a jamais fait de lettrisme, il n'a jamais été lettriste de fait, c'est Gil, donc, qui lançait les onomatopées, ses choses, et puis on reprenait et on improvisait… Je me souviens de l'un des thèmes de Wolman : Op tic tic op op tic tic op, et ça s'appelait, je crois, 47° 5 ou 41° 7, je ne sais plus, un truc comme ça. Mais nous on faisait ça pour s'amuser, on partait de chez Moineau, à une douzaine, et puis on y allait.

TOUT CE QUI EST ROND EST WOLMAN

Impossible d'oublier cette soirée au *Cercle Paul-Valéry* où je m'étais rendu en compagnie de Jean-Louis Brau et de Gil Wolman. On y traitait ce soir-là de l'évolution parallèle de la musique et de la poésie. Grave problème débattu par un groupe de barbichus, très pénétrés de l'importance du sujet. On s'ennuyait ferme dans ce salon de thé du boulevard Saint-Germain et, avec l'approbation de l'animateur, Gil Wolman, qui se présentait comme un poète d'avant-garde, proposa une poésie "mégapneumique" à la réflexion des participants. Gil leur lança alors à la face, comme on crache une injure, un composé de hurlements et d'imprécations fiévreuses, baptisé "41° et 5/10ᵉ". Sous l'avalanche verbale désarticulée, les amateurs de poésie moderne étaient comme assommés. Certains se bouchaient les oreilles avec ostentation, en guise de protestation ; les vitres de la salle vibraient tellement que le patron avait jugé bon de fermer les portes pour ne pas incommoder les voisins. C'était un soir d'été et la chaleur éprouvante s'ajoutant au vacarme, nous étions à la limite de l'affrontement physique. Ces braves gens devaient nous prendre pour des évadés de l'asile Sainte-Anne. La soirée se termina de façon scandaleuse, au milieu des injures et des verres qui jonchaient le sol. Nous nous retirâmes l'air glorieux, raccompagnés par les garçons de café... Je n'étais pas partie prenante de cette "littérature", mais la provocation lettriste m'apparaissait rafraîchissante.

MAURICE RAJSFUS
Une enfance laïque et républicaine,
Manya, 1992.

Quels étaient l'ambiance, le climat, les réactions ?

Les mégapneumies de Gil c'était très violent, très physique, avec des techniques de voix et des résultats assez extraordinaires. Les deux vrais lettristes, c'étaient Gil d'un côté, avec une technique qui approfondissait la parole, enfin le cri et tout ça, et puis Dufrêne, qui, lui, était plutôt dans la tradition d'Artaud avec ses cris-rythmes. C'étaient les deux potes. Malheureusement Dufrêne on l'appelait l'Eluard du lettrisme, tant pis pour lui parce qu'Eluard était une crapule. C'étaient vraiment deux grands poètes, deux grands artistes de façon générale. Jean-Louis aussi a fait quelques poèmes lettristes, mais peu, il était assez fainéant Jean-Louis.

Eliane, qui a été la petite amie de Debord puis ton épouse, puis celle de Jean-Louis Brau, a joué un rôle important tout au long de ces années.

Eliane était une révoltée, fille d'un émigré hongrois d'avant-guerre qui était vitrier miroitier. Sa mère est morte relativement jeune, d'un cancer. Elle était espagnole. Il y avait donc en elle un mélange hongro-espagnol qui pouvait être assez volcanique. Son père s'était remarié avec une dame très bête, la gouvernante d'un général roumain qui avait fui la Roumanie après la guerre, au moment où ce pays est devenu, paraît-il, une démocratie populaire. Cette dame s'est retrouvée en France, je ne sais pas comment le père Papaï l'a rencontrée. Son fameux général, avec lequel elle était toujours en contact, l'a installée comme concierge dans un bel immeuble qu'il avait acheté du côté de Michel-Ange, dans le seizième. Le père d'Eliane est devenu l'ouvrier d'entretien de l'immeuble, il a abandonné son travail de miroitier. Comme ouvrier d'entretien dans ce quartier de Paris, il gagnait plus que comme artisan miroitier dans le onzième. Eliane venait du petit quartier du onzième, pas loin de la mairie, pas loin de la place dite Léon-Blum – cet horrible Léon Blum – un quartier très populaire. Elle n'a pas supporté cette femme qui n'avait rien à dire, strictement rien à dire, donc elle s'est tirée de chez elle; son père a été au commissariat de police le plus proche, comme d'habitude, et quand les flics ont rattrapé Eliane elle a été envoyée en maison de correction à Chevilly-Larue. Son père voulait la reprendre, les flics ont dit : "Non, non, c'est pas comme ça que ça se passe, vous avez porté plainte." Bref... je crois qu'elle s'est évadée une première fois de Chevilly et a été reprise. Ensuite elle a quitté la maison... ça ne s'appelait pas de correction exactement... il y avait tout un échafaudage de maisons, machins, quand vous sortiez de là. En principe on restait trois mois à Chevilly-Larue, pas plus, ou bien on allait dans un truc plus dur, ou bien on allait dans un Bon-Pasteur, un truc tenu par des bonnes sœurs. Eliane s'est retrouvée dans un Bon-Pasteur, dans le seizième je crois, et elle était censée suivre des cours à l'extérieur, des cours de dactylo, de secrétaire, le boulot classique pour les filles. Elle n'allait pas tellement à ses cours, elle venait plutôt au quartier fumer un petit peu de hasch, elle adorait ça, et on fumait beaucoup. Et puis de fil en aiguille elle s'est évadée du Bon-Pasteur, elle a eu les flics de nouveau au cul. Enfin les flics... la brigade des mineurs, commandée à l'époque par le commissaire Marchand, célèbre entre tous dans les bistrots du quartier. Voilà, donc Guy l'a connue au moment où... avant qu'elle s'évade du Bon-Pasteur.

FRANÇOIS DUFRÊNE

C'est-à-dire qu'elle était encore sous l'autorité des maisons de redressement.

Voilà. Moi je l'ai connue un tout petit peu avant qu'elle s'évade, et en fait quand elle s'est évadée, elle et Guy se sont quittés et on a vécu ensemble. Quand elle venait au quartier et qu'elle fumait, on ne restait pas, j'allais souvent avec elle sous un pont… J'ai cru longtemps que c'était le pont de Sully, en fait c'était celui d'à côté. Pendant quarante ans de ma vie ou presque je me suis mélangé de pont, c'est pas très grave. Et puis un jour on est rentrés chez notre ami Raymond Hains, rue Delambre, et on a fait l'amour comme tout le monde ou presque… J'ai cru longtemps qu'elle avait quitté Guy comme ça. En fait j'ai appris il y a peu de temps que Guy avait une vision très très pure de l'amour éternel, l'amour parfait, vision impossible à vivre dans le monde pourri dans lequel on se trouve, et qu'en fait ils s'étaient quittés sur une phrase, sur un truc qui n'allait pas dans ce sens-là. Ni Eliane ni Guy n'étaient coupables, c'est, comme on dit, la barque de la vie courante…

Eliane et toi vous vous êtes donc mariés.

Je me suis marié avec Eliane parce qu'elle était toujours recherchée par la brigade des mineurs depuis son évasion… On s'est mariés fin 53, elle avait un petit peu plus de 18 ans. La majorité pénale c'était 18 ans, mais comme elle s'était évadée avant, elle était toujours sous le contrôle du ministère de la Justice, de la brigade des mineurs. C'est ça la grande astuce de cette affaire, d'ailleurs : les mineurs ne sont jamais reconnus comme des gens à part entière. On pouvait se faire arrêter par les flics d'un jour ou plutôt d'une nuit à l'autre. Alors je suis allé voir

ELIANE

PHOTO ED VAN DER ELSKEN

ma mère et je lui ai dit : "Ecoute, voilà…" et je lui ai raconté l'histoire telle qu'elle était. Ma mère a dit : "Bon, c'est bien", enfin j'exagère, elle a dit : "Si c'est comme ça, d'accord", et je crois qu'elle avait une arrière-pensée, elle se disait que si je me mariais avec Eliane, j'allais enfin m'assagir. Donc c'est elle qui a baratiné le père d'Eliane, qui ne comprenait rien d'ailleurs, et on s'est mariés légalement. Ma mère m'avait acheté un costume, c'est la seule fois de sa vie, et heureusement, d'ailleurs, au Kremlin-Bicêtre, chez la vieille famille juive, enfin ce qu'il en restait après les déportations… Eliane s'est fait prêter des fringues impeccables, et puis on s'est mariés. Il y avait les deux témoins, mes parents, ses parents… Et puis on est redescendus au quartier, Eliane s'est changée, et on a continué à boire chez Moineau.

Eliane buvait pas mal déjà ?

Oui. Au début elle buvait peu, elle fumait surtout du haschisch. Puis après elle s'est mise à boire parce que tout le monde buvait. On ne pouvait pas vivre sans boire dans ce bistrot-là… A minuit et demi, une heure du matin, on est sortis de chez Moineau pour aller régler quelques comptes avec le patron du Mabillon, qui, quelques jours avant, avait téléphoné aux flics pour leur dire qu'Eliane était là. Les loufiats ont fermé les portes du Mabillon, le patron est sorti pour parlementer, Eliane l'a injurié. Je suppose que je l'ai injurié aussi. A un moment, Eliane m'a demandé ce qu'il fallait faire, et je lui ai dit très gentiment : "Fous-lui ton pied dans les couilles, ça peut toujours servir", elle l'a fait immédiatement. Le type est rentré dans son bistrot. On était sur le trottoir juste devant le café et les gens venaient nous féliciter. On n'a jamais su s'ils nous félicitaient parce qu'Eliane avait foutu son pied dans les couilles du patron, ce qui était fort honorable, ou s'ils nous félicitaient parce qu'on s'était mariés, ce qui était du parfait crétinisme... Bref, il a fallu qu'on arrête nous-mêmes deux hirondelles qui passaient avec leurs vieux vélos pour qu'ils nous amènent au commissariat de police de Saint-Germain, rue de l'Abbaye. A ce moment-là j'ai jeté le livret de famille sur la table en disant : "Laissez ma femme tranquille, Eliane Papaï n'existe plus." J'ai fait un cinéma horrible et ils nous en ont voulu pendant très très longtemps. Je suis certain que c'était une excuse valable pour un mariage, ça n'était pas une affaire de trois sous de Sécurité sociale... et on a donc passé notre nuit de noces au commissariat de police. En principe, je suis contre le mariage. On ne se serait pas mariés s'il n'y avait pas eu cette affaire-là. Quelques jours après on est allés vendre nos alliances chez une vieille bijoutière de la rue du Four qui nous a dit que ça ne valait rien du tout, que c'était du vieil argent pour alliances. Mais on avait eu ça gratuitement dans une bijouterie horlogerie qui relevait les bans dans les mairies et qui offrait des alliances gratis à tous les futurs mariés... Bien sûr, 90 % des gens achetaient autre chose, ne se contentaient pas des deux alliances, achetaient les cuillères, les couteaux... Nous on n'avait rien à acheter, et on s'est retrouvés avec ces deux alliances, et vu le peu que ça nous permettait de boire si on les vendait, on les a gardées. On a préféré faire la manche que les vendre.

Est-ce qu'Eliane était seulement révoltée, n'était-elle pas presque sauvage?

Elle était sauvage, oui, elle était même méchante, horrible, elle était scandaleuse, elle était très bien

En 1953-54 au 26, rue Delambre, nos visiteurs pouvaient voir comment pendant cinq heures par jour, un deux pièces-cuisine, boîte à loyer Second Empire, était transformé en studio de cinéma. Jean-Michel Mension relayant Raymond dans la chambre noire ; Eliane Papaï, intercaliste au pied levé, devant la glace dépolie ; Jaques Spacagna dans la salle de peinture étalant la glycérophtalique sur les bristols et les cells. *L'Hypnagogoscope* dans un coin attendait les prises de vue.

VILLEGLÉ
Urbi & orbi
Editions W, 1986

je trouve, magnifique. Après mon retour d'Algérie, fin 57, contrairement à l'époque précédente, on allait dans des bistrots sur la rive droite, et je me souviens de deux d'entre eux où Eliane s'est foutue à poil et s'est mise à danser sur le bar à une heure du matin. Ça plaisait beaucoup aux clients, encore qu'en dansant, moitié espagnole, moitié tzigane et moitié alcoolique, elle renversait les verres, elle foutait les verres des clients par terre, mais enfin ils étaient heureux comme tout... Ça c'était Eliane, assez scandaleuse. Quand elle avait une crise de propreté, elle lavait ses culottes dans le caniveau.

Il y a une histoire assez drôle : on avait un petit parcours, on allait de chez Moineau, vers deux heures du matin, quand ça fermait, au Saint-Claude, qui était sur le boulevard Saint-Germain, en prenant la petite rue des Ciseaux. Traditionnellement on s'arrêtait pour pisser, dans un recoin de mur où tout le monde pissait. Et une nuit, uniquement pour nous embêter, les flics nous ont alpagués : ivresse sur la voie publique, crac ! Ils nous connaissaient tous, relevé d'identité machin chose, y compris Eliane qui avait pissé comme tout le monde et qui s'est mise à hurler : "Moi jamais, jamais je ne pisserais devant des hommes !" Enfin, elle a fait un cinéma terrible. Le flic, d'assez bonne humeur, se foutait complètement de ce qu'elle lui racontait, et Eliane a dit : "La preuve que je n'ai pas pissé !" Elle s'est déculottée, accroupie et elle s'est mise à repisser devant le flic. Ce qui fait que le flic lui a foutu une deuxième contredanse, et je crois que c'est un record du monde pour une dame, deux contredanses pour ivresse sur la voie publique en un quart d'heure.

*Un sens de l'à-propos et de la provocation assez pro-
noncé.*

Ah oui, elle était insupportable quand on allait au
commissariat, et on y allait très souvent. Pendant
un temps ils nous embarquaient régulièrement
deux ou trois fois par semaine. Il y avait trois
commissariats : rue de l'Abbaye, place Saint-Sulpice et rue Jean-Bart. On allait dans l'un ou dans
l'autre suivant les horaires. Parfois, on pouvait
faire les trois dans la même nuit. La grande spécialité d'Eliane c'était de s'accrocher à la grille de
la cage à poules qu'il y avait dans le commissariat. Au début ils ne nous mettaient pas en cellule, ils nous laissaient dans ce petit espace et
elle s'accrochait au grillage en hurlant : "Jacot,
Jacot", et ça durait longtemps. Au bout d'un
moment, les flics nous foutaient en cellule, mais
c'était absolument insupportable, c'est ce que
j'aimais beaucoup chez elle. Elle était tout à fait
entière, ce qui plaisait à tout le monde d'ailleurs,
à Guy, à Jean-Louis et à moi. Je crois qu'on a tous
eu la même vision d'Eliane. Dans les *Œuvres
cinématographiques complètes* de Debord, on trouve
une photo fantastique d'elle : il y a toute la haine
du monde, toute la peur du monde, toute la vio-
lence, tout le refus… c'était une grande dame. Je
ne m'en souvenais plus de cette photo. Quand
j'ai ouvert le bouquin et que je suis tombé dessus… c'était poignant.

*Il y avait donc la tribu, il y avait Debord, Wolman,
qui étaient des gens "légaux", et toi, Joël Berlé, Eliane
Papaï qui, d'une certaine manière, étiez un peu plus
la marge ?*

Eliane pas tellement, c'était juste qu'elle
s'était tirée de chez elle…

Mais elle était en confrontation avec la police assez régulièrement.

Oui, elle a aussi participé aux vols de bouteilles et des choses comme ça. Avec Joël et Eliane, une fois, on s'est fait arrêter dans la piaule de Pépère, à Vincennes. C'était un type qui revenait de Cayenne, je crois qu'il avait été condamné pour meurtre, et qu'il avait tué un gardien de prison. Il avait une voix à peine audible, un langage à peu près incompréhensible, un argot de Cayenne. Sa famille, qui devait avoir un peu de sous, essayait de le faire vivre décemment et honnêtement : il avait donc des chemises neuves qu'on voulait échanger contre des bouteilles de vin. C'est pour ça que les flics sont venus nous chercher : ils croyaient qu'on les avait volées ; et dans la bagarre on a perdu le cachet de l'I.L. Je sais que, plus tard, Pépère s'est fait tuer bêtement à côté de l'église de la Madeleine : il faisait la manche, il devait être assis par terre, il y a eu un règlement de comptes politiques entre le F.L.N. et le M.N.A. et il a pris une balle perdue… Joël a été beaucoup plus loin sur la lancée. Nous, on est toujours restés de petits voleurs, on n'a pas commis beaucoup de crimes… Berna était un taulard quand il était déjà de l'I.L., pour vol aussi, si je ne me trompe pas. Il était à la prison de Draguignan, où il avait écrit une très belle chanson :

Quand vient chanson
douce lueur
à la lisière de ma douleur
pauvre pauvre bateleur
l'hiver s'en ira sonnant l'heure
du renouveau sans ton bonheur
pauvre pauvre bateleur

A une époque on l'avait beaucoup chantée chez Moineau. Oui, Berna était un peu escroc, un peu voleur, il montait des coups, mais il était très intelligent, et très malin aussi. Il avait une espèce de côté génial pour monter des coups drôles, inventer des choses...

Et Ghislain de Marbaix ?

Ghislain de Marbaix n'était pas vraiment de chez Moineau, mais il était du quartier. Je l'ai connu au Mabillon. C'était l'un des doyens, une des grosses têtes du quartier, c'était une brute physique, un type qui avait une force assez extraordinaire, surtout quand il avait bu... La légende raconte qu'en faisant un bras de fer avec un gars il lui a cassé le bras ; il y a des gens qui disent qu'il a tué un mec à coups de poing, mais je crois que c'est plutôt lui qui a fait courir cette légende-là... C'était vraiment une force de la nature. Il était mac. A l'époque où on l'a connu il était avec une fille, l'Antillaise, qui avait un bébé. Il passait de temps en temps chez Moineau, avait une grande gueule, une façon de parler assez roturière, bien qu'il soit d'ascendance noble : Ghislain de Marbaix de je ne sais plus quoi. C'était un personnage avec une façon de s'exprimer assez particulière, tirée directement des romans de série noire, la barbe énorme, le corps imposant... il faisait partie du décor... Je crois qu'il est devenu copain avec Debord. Ils s'aimaient bien chez Moineau, ils ont parlé, mais c'est après qu'ils ont eu des relations relativement intimes, enfin fréquentes, soutenues... On s'en foutait complètement qu'il soit maquereau, on n'a jamais su exactement parce qu'il était un petit peu secret... C'était un gars qu'on aimait bien, beaucoup moins prétentieux et moins con que certains zozos du Mabillon qui jouaient les philosophes... Ghislain était déjà quelqu'un avec les pieds sur terre, et qui était dangereux

MAX BOULINIER,
FACTEUR D'ORGUES
DIT LE CARDINAL

quand il était ivre, fallait vraiment faire attention. Il est donc devenu très copain avec Guy, après mon départ. Il apparaissait un peu comme Hafid ou comme Midou avant, un peu comme le garde du corps de Guy. Guy devait l'aimer aussi parce que c'était un aventurier, un type tout à fait particulier. L'Homme de main, son bistrot pour lequel Guy a fait une affichette, j'y suis allé plusieurs fois, mais c'est le genre de bistrot qui marchait la nuit, où je ne suis jamais arrivé à jeun… C'était une espèce de foutoir, assez sombre. Il y avait Marise, que j'ai connue après plus précisément, celle qu'il appelle la Tatouée dans ses mémoires : une jeune dame assez extraordinaire qui se prostituait du côté de la rue Vignon, à la Madeleine. Je ne suis pas certain que Ghislain ait en quoi que ce soit forcé Marise. C'est tout à fait possible qu'elle ait décidé elle-même d'avoir cette vie-là. En tout cas ils ont vécu ensemble un certain temps, et puis après, au moment de l'Homme de main, ça a dégénéré. La dernière fois que j'y suis allé, je ne me souviens pas d'y avoir vu Ghislain, je me souviens de Marise et du gros Fred, mais c'est tout… Ghislain a disparu et un jour on a appris qu'il s'était fait descendre, parce qu'il était réellement homme de main. Il était du milieu, je ne sais pas ce qu'il trafiquait exactement; il a été garde du corps, semble-t-il, d'un certain nombre de gens qui étaient un peu mêlés à la politique, on a dit que c'étaient des gens proches du gaullisme, évidemment proches du SAC, il devait naviguer dans ces eaux-là.

Un peu dans le même genre que Fred, il y avait Nonosse, Michel Smolianoff, qui avait une voix fabuleuse, une voix grave extraordinaire, qu'on entendait à trois kilomètres. Il se baladait sur le Boul' Mich' en homme-sandwich avec le programme de ce meeting des Ratés, qui eut un grand succès. Comme participants à ce meeting, il y avait celui qu'on appelait le Cardinal, et il y

LA FRANCE SEULE

possède un bar comme L'HOMME DE MAIN
31, rue de Jussieu

AFFICHETTE RÉALISÉE PAR GUY DEBORD
A L'OCCASION DE L'OUVERTURE DE L'HOMME DE MAIN,
BISTROT APPARTENANT A GHISLAIN DESNOYERS DE MARBAIX

SERGE BERNA

avait aussi certainement Le Maréchal dans le coup. C'était à mon arrivée au quartier, mais j'étais encore au Dupont-Latin. Je rentrais encore chez mes parents toutes les nuits, donc je n'y suis pas allé, c'était l'un des trucs qui m'avaient marqué.

Il y avait Berna ?

Oui, il était certainement à l'origine de l'affaire. Et aussi quelques copains lettristes, enfin c'était la crème du quartier si tu veux, les plus ratés des ratés. Ils avaient fait un tract intitulé *Ratés* qui disait : "On nous présente comme des minus et nous le sommes, nous ne sommes rien mais alors rien, rien du tout, et nous entendons ne servir à rien."

Comment s'est déroulé ce meeting ?

Il devait y avoir différentes interventions, dont une de Berna. Je me souviens qu'il y avait un syphilitique de gauche… C'était des façons de faire du scandale organisé, et puis de rafler des sous à des gogos, à des touristes ; parce que tout tournait quand même un petit peu autour de ça : tout le monde n'était pas escroc — Berna, lui, oui —, mais il fallait vivre, il ne fallait pas travailler non plus, on avait l'air con si on travaillait, ce n'étaient pas des choses à faire à l'époque, on se déconsidérait.

Mais quand on déclare qu'on est des bons à rien, c'est qu'on pense au contraire qu'on est tout ?

Oui, bien sûr, c'est très très prétentieux. Mais d'ailleurs c'était vrai qu'on était des bons à rien, on était bons à vivre dans ce monde-là ; dans le leur on était bons à rien, et dans le nôtre, qui aurait été évidemment bien largement supérieur, pas de comparaison possible.

Vous vouliez être en marge de l'économie ?

Non. On ne se posait pas les questions comme ça. Debord, après, a longtemps parlé du marxisme, il a lu, mais à mon époque on ne parlait pas de Marx. Brau connaissait certaines choses, vu sa famille : son père était membre du parti communiste puisqu'il était maire adjoint d'Aubervilliers du temps de Charles Tillion. Jean-Louis disait donc connaître certaines choses, il avait sans doute lu les textes de Marx, mais moi avec Gil, avec Guy, je n'ai jamais parlé de Marx.

SERGE BERNA ET JACQUES MOREAU
DIT LE MARÉCHAL

Comment voyais-tu les rapports entre Gil et Debord ?

Les rapports entre Gil et Guy étaient des rapports de créateurs. Guy était plutôt le théoricien de la pensée dite politique, Gil était le théoricien du "dépeindre", comme il disait, je crois, c'est-à-dire théoricien de la non-création artistique : comment poursuivre après le dépassement de la peinture, alors que la peinture ne sert plus à rien, comment continuer. L'un était le versant politique, l'autre était le versant art de cette volonté de lier les deux et de fondre les deux en un. Je crois que Wolman était un type dont Guy pensait que c'était vraiment un artiste extraordinaire, nettement supérieur aux autres qui traînaient dans l'I. L.Moi je n'ai jamais cru à l'exclusion de Gil. Vous connaissez sa formule aussi bien que moi : "L'un n'exclut pas l'autre." Debord était obligé de dire que c'était une exclusion, bien

R A T É S . . . .

On nous présente comme des MINUS, et nous le sommes.

Nous ne sommes rien, mais alors là, RIEN du TOUT,

et nous entendons ne servir à RIEN.

Les "honnêtes gens" nous rabâchent : "TRAVAILLEZ ! MAIS ARRIVEZ DONC !!

ARRIVER OÙ ? ARRIVER A QUOI ? ET DANS QUEL ETAT ?

Notre devise : POUR ARRIVER, SURTOUT NE PAS PARTIR.

INCAPABLES
INUTILES
OISIFS
VA-NU-PIEDS de COMPTOIRS !

Venez vous reconnaître et vous affirmer

au

GRAND MEETING DES RATÉS

qui se tiendra en l'hôtel des Sociétés Savantes

8, Rue Serpente, Paris (5°)

le 15 Mars 1950 à 20 H.15

- -

Disserteront : "Des mérites de l'Impuissance"

Serge BERNA : syphilitique de gauche

Maurice-Paul COMTE : individu

Jacques PATRY : ancien Dominicain

- - - - - - - - - -

Buffet gratuit
ainsi que
Madeleine AUERBACH

La tenue de soirée est de rigueur !

TRACT APPELANT AU MEETING DES RATÉS

évidemment, mais je crois plutôt que c'était une séparation.

Gil a vécu sa vie, il a toujours eu une vie de famille, une vie parfaitement classique d'un côté, qui étonnait toujours un petit peu tout le monde, parce qu'on n'était pas très classiques nous, et puis par ailleurs une capacité de création extraordinaire qui, à mon avis, dépassait la totalité des artistes de son époque. Et voilà, les deux se sont fondus. Bon, Guy explique ça, c'est parfaitement naturel, il ne peut pas se permettre de dire que quelqu'un est parti sans demander son avis. Y compris pour Ivan, qui ensuite a terminé enfermé. Mais c'est pareil, Gil et Ivan sont deux personnes qui au démarrage ont eu une importance dans la pensée de Guy, l'ont aidé à développer ses projets. Après il y a eu Asger Jorn et d'autres… mais il y avait de la part de Guy un véritable respect pour Gil. Ils étaient vraiment en très bons termes. Avec Jean-Louis aussi au début chez Moineau, avant qu'il se lance dans ses aventures militaro-machin, tout se passait très bien.

C'est-à-dire ?

Je crois que Jean-Louis s'est engagé, je ne sais plus si c'est pour la guerre d'Indochine ou pour l'Algérie, enfin bref, je crois qu'il a été exclu pour militarisme par Guy, et là c'était totalement justifié. Ensuite il a mené une vie un peu bizarre, il a beaucoup voyagé, il a fait des tas de choses.

Il faisait partie de la liste des exclus publiée dans le numéro 3 de Potlatch.

Oui, mais ça c'est un mélange. En fait il y a d'un côté Isou, Lemaître et Pomerand, les trois lettristes. Ils n'ont pas du tout été exclus. Guy dit qu'ils ont été exclus, mais en fait il y a eu scission, c'est une rupture… Les véritables lettristes avaient commencé bien avant mon arrivée. Maurice Lemaître était le bras droit d'Isou, une crapule…

La crapule c'était Isou ou Lemaître ? Ou les deux ?

Ah, Lemaître ! Isou n'était pas une crapule, il était gentil. D'abord il était complètement fou, mais c'était aussi quelqu'un de très sérieux — il ne buvait pas —, tout à fait les pieds sur terre. En même temps il était tout à fait persuadé de son génie. Plus tard, il en a voulu à Debord de lui piquer la première place. Mais ça s'est fait sur un terrain beaucoup plus politique qu'artistique. De toute façon, je trouve que ça serait intéressant de dégager le noyau d'avant-garde dans la pensée d'Isou : le problème de l'"externité", le problème du soulèvement de la jeunesse, cette compréhension que la jeunesse allait jouer un rôle différent pendant la période qui s'ouvrait ; ce sont des choses qui étaient très en avance à l'époque. Mais je crois qu'en tant qu'artiste il avait peu de talent, ça n'était pas un bon peintre.

La crapule c'est donc Lemaître, qui s'appelait en réalité Moïse Bismuth, je crois…

Je n'ai jamais eu la certitude absolue qu'il s'appelait effectivement Bismuth. Je me suis souvent posé la question : "Est-ce que ça n'est pas une invention de Gil, de Jean-Louis et de Guy de dire qu'il s'appelait Moïse Bismuth ?" Il faudrait vérifier. Même quand il s'est présenté aux élections comme député dans le dix-septième arron-

dissement, c'était sous le nom de Lemaître...
Ceci dit, il aurait pu changer de nom, parce qu'à
l'époque ça se faisait un peu...

GIL WOLMAN ET ISIDORE ISOU

*Ça se faisait certainement un peu, mais quand on est
dans le milieu de l'avant-garde, par définition, on
défie une société, et quand on défie une société on la
défie avec ce qu'on était au point de départ, et pas du
tout en masquant ce qu'on est, en essayant d'avoir une
autre identité. Malheureusement, Isou même s'appelait en réalité Goldstein...*

De toute façon, dans le petit milieu de l'avant-
garde, tout petit milieu à l'époque des lettristes,
c'est évident que tout le monde savait qu'Isou
était juif. Il aurait pu s'appeler Dupont... tout le
monde le savait. Isou était Roumain. D'après ce
qu'on m'avait dit à l'époque, c'était l'un des dirigeants de l'organisation de jeunesse proche du
parti communiste en Roumanie, et il s'est tiré au
moment du glacis, il a bien fait, mais il avait des
accroches très à gauche, au départ. Isou on l'aimait bien, on n'avait rien contre lui, et puis il y
avait un certain respect de la part de Guy, de Gil
et de Brau... On considérait effectivement que
c'était un mec qui avait apporté quelque chose.
Lemaître c'était le factotum, le garde du corps, le
bras droit, le machin... tout ce qu'on voudra...
On ne l'aimait pas parce que... parce qu'il fallait
bien en vouloir à quelqu'un... Pomerand, qui en
fait était le troisième du groupe d'Isou, on ne le
voyait pas, il n'était plus là... il était dans d'autres
coins du quartier, il faisait d'autres choses...

Tu as commencé à parler de François Dufrêne...

Dufrêne, à l'époque, était en froid avec Isou.
C'était l'ennemi puisqu'il était au Soulèvement

de la jeunesse. Il s'agissait d'un truc assez politique, enfin plus directement politique que
l'Internationale lettriste ou le groupe d'Isou.
C'étaient des gens qui éditaient un canard de ce
nom. Il y avait Marc' O, et je crois qu'il y avait
deux filles : l'une c'était Yolande du Luart,
l'autre Poucette. Tout ça s'est passé à peu près à
l'époque de la scission de la section française de
la Quatrième Internationale. François Dufrêne
avait suivi des espèces de cours, on appelle ça
école de forme dans le jargon politique marxiste.

*C'est une école de formation, il y en avait aussi dans
le parti communiste...*

Exact. Le Soulèvement tournait autour de la
thèse de l'"externité" : ce n'est plus la classe
ouvrière qui est le centre du monde, ce n'est pas
par elle que passera la révolution. Maintenant il y
a un phénomène nouveau, c'est la jeunesse, qui
est externe à la production, mais qui devient de
plus en plus importante, etc., etc.

Le centre du monde, c'est-à-dire l'avant-garde.

Oui. Mais la fameuse phrase : "Seule la classe
ouvrière est révolutionnaire jusqu'au bout", pour
les lettristes en général, c'était dépassé. C'était
donc un truc qui se voulait militant, et en même
temps ça n'a pas duré très longtemps, deux ans
environ ; quand j'ai bien connu François, c'était
en 1954, après mon exclusion de l'I.L., il n'était
déjà plus au Soulèvement de la jeunesse. Je me
souviens qu'une fois, ce qui restait du Soulèvement de la Jeunesse avait voulu nous intervie-
wer, François et moi, et on a fait une interview
tellement scandaleuse qu'ils ne l'ont jamais
publiée.

Plan de réforme de l'enseignement secondaire

Nous voulons la réduction des années d'études et une réforme authentique de l'enseignement secondaire par *François Dufrêne*

1° La FUSION DES CLASSES de 6° et 5°, 4° et 3°, 2° et 1°;

2) La SUPPRESSION DES CLASSES DE PHILOSOPHIE, SCIENCES EXPÉRIMENTALES, MATHÉMATIQUES ÉLÉMEN-TAIRES, et de TOUTES LES ANNÉES PRÉPARATOIRES de FACULTÉS qui, chargées de relier le secondaire au supérieur, renouvellent en fait les dernières années du secondaire.

3) L'institution d'une classe TERMINALE remplaçant ces dernières, où l'élève étudiera uniquement la branche dans laquelle il se spécialisera.

Histoire

Géographie

Français

Grec et Latin

Sciences physiques

Dufrêne buvait lui aussi ?

A cette époque-là, Dufrêne a beaucoup bu. Plus tard on a pas mal traîné ensemble. En 55 on éditait un journal parlé, quotidien, qui s'appelait *Le Petit Stupéfiant*... Il y avait Guilbert, François, moi, Eliane, et puis deux ou trois copains de François qui n'étaient pas des gens du quartier, des gens qu'il avait connus en poésie, relativement sérieux, mais qui d'ailleurs se sont mis à boire eux aussi, pendant quelques mois.

Et où avait lieu la réalisation de ce journal parlé ?

Elle se faisait sur un banc, place Saint-Sulpice. On attendait Godot, évidemment, et on faisait un peu la manche. Il y avait des gens qui avaient un peu d'argent... On achetait des bouteilles à la tireuse, chez Georges, rue des Canettes, et puis on buvait énormément... Voilà, je ne sais pas ce qu'on faisait, personne n'a su exactement ce qu'il y avait dans le journal, mais enfin, on traitait les événements de la journée, on parlait. Dufrêne devait dire certaines de ses créations... et on a même failli, après, passer à un journal écrit. Guilbert avait commencé exceptionnellement à écrire quelques pages, que j'ai perdues... Mais ça a été notre grande occupation : on passait deux ou trois heures parfois, sur la place Saint-Sulpice, à préparer ce journal, à le dire.

Tu t'entendais bien avec François Dufrêne ?

On s'adorait, on a beaucoup traîné, on était vraiment très copains. On allait souvent avec Eliane rue Vercingétorix, parce que le père de Dufrêne avait un atelier de peintre dans cette rue. Il y avait des tableaux du père, comme ça, en amateur, et puis il y avait des tableaux de Dufrêne et des tableaux de Jean-Philippe Bernigaud dit Talbot, le meilleur copain de Dufrêne. Ils traînaient ensemble tout le temps. Tous les deux avaient été au lycée ou en fac, je ne sais plus, avec un dénommé Maspéro, qui se fera connaître bien après sur d'autres terrains que la création artistique. D'ailleurs Bernigaud-Talbot restera le bras droit de François Maspéro tout le temps, pendant toute la durée des éditions Maspéro et de la librairie La Joie de Lire.

Et Marc' O – Marc-Gilbert Guillaumin -tu le connaissais ?

Non, je n'ai pas connu Marc' O, du tout, mais j'ai le souvenir de l'ennemi, qui était au Soulèvement de la jeunesse.

Le groupe du Soulèvement de la jeunesse était présent à la projection de Hurlements en faveur de Sade.

Oui, à la deuxième projection, au ciné-club du quartier latin, dans la salle des sociétés savantes, rue Danton, en octobre 52. Je n'ai pas assisté à la première, en juin, au ciné-club d'avant-garde : je ne connaissais pas encore Guy à l'époque.

Et c'est là que ça a tourné au pugilat, très vite.

Non, on a réussi à tenir un certain temps.

Comment ça s'est passé ?

Nous, c'est-à-dire l'I.L., étions au balcon, avec des copains… J'étais avec une fille qui s'appelait

Trois malades ? Trois goujats ? Trois héros ? Cette page est faite pour vous permettre de fixer votre opinion, sur le geste de Michel Mourre, 21 ans (faux dominicain), Serge Bernard et Ghislain Desnoyers de Marbais que l'on voit ici réunis après le "scandale sur le banc du commissariat du quartier Saint-Gervais."
Combat, 12 avril 1950.

Francine; elle était amoureuse d'un garçon qui faisait du mime, et donc j'ai fait du mime parce que j'étais amoureux d'elle, et puis d'autres gars de chez Moineau, dont Gil et Jean-Louis avec sa femme Françoise. Au rez-de-chaussée, il y avait le groupe du Soulèvement de la jeunesse avec Dufrêne, Marc' O, Yolande du Luart et puis une autre nana. Un professeur de la cinémathèque de Lausanne est monté sur scène et a expliqué que dans ce film il y avait une tension érotique qui montait peu à peu, qui était prégnante, qui vous prenait à la gorge… Bref il a fait un très long discours. Un certain nombre de gens le connaissaient dans la salle car il s'agissait de Serge Berna, faux professeur bien évidemment, le Berna qui avait réalisé le scandale de Notre-Dame avec Michel Mourre et Ghislain de Marbaix quelque temps avant. Déguisé en moine, Mourre avait interrompu la grand-messe de Pâques en montant sur l'autel où il prononça un sermon très violent contre l'Eglise et où il affirmait : "Dieu est mort!" Les trois ont failli se faire lyncher et se sont retrouvés au commissariat.

Et le reste du public?

C'étaient les habitués du ciné-club du quartier latin, qui, à l'époque, avait beaucoup d'adhérents. C'était la grande mode des ciné-clubs. Des étudiants, des jeunes, des gens du quartier venaient là honnêtement pour voir un film, et… certains avaient sans doute entendu parler du type de film qui allait être présenté, ils n'étaient pas tous idiots de naissance ni de formation. Bref, au bout d'un certain temps, le groupe de Dufrêne s'est mis à hurler, criant au scandale, nous injuriant. Le public a suivi. Nous on a répondu du balcon… Moi je me souviens d'avoir lancé la formule dont j'étais très fier du haut du balcon : "Vous êtes des faux-jetons et nous on triche." A part ça, je n'ai pas fait l'amour avec la jeune femme avec qui j'étais, mais enfin ça n'était pas très très loin…

Est-ce que la projection s'est déroulée jusqu'à la fin ?

Je ne crois pas, mais l'essentiel de la projection, oui. A la fin, bien sûr, les "soulevants de la jeunesse", qui étaient des gens quand même assez intelligents, assez malins, avaient réussi, ça n'était pas très difficile, à entraîner la salle contre nous. On s'en est sortis vivants, assoiffés et très contents.

Et après le film, qu'est-ce qu'il y a eu ?

Après le film on est partis, on a injurié les gens, les gens nous ont injuriés. On est partis boire, je ne sais pas ce qu'on aurait pu faire d'autre, je n'ai plus le souvenir de la boisson d'après, mais il est évident qu'on a dû rejoindre Moineau…
Je viens de relire *Hurlements en faveur de Sade*, et j'ai constaté que la fameuse phrase dont je me souvenais si bien et que j'ai trimbalé toute ma vie : "L'Isère et la misère, continue ma petite sœur, nous ne sommes pas beaux à voir", cette phrase n'existe pas. C'est monté à l'envers, enfin le texte dit la même chose par rapport à cette enfant qui a sauté dans l'Isère. J'avais le souvenir de cette forme-là de la phrase, je ne changerai pas maintenant, quarante ans après, bien évidemment. Mais le texte reste très beau. J'ai fait de la publicité pour ce film : j'avais écrit sur le pantalon blanc de peintre que je portais *Hurlements en faveur de Sade*. Ça c'est le seul texte qui se lit un petit peu sur les photos que j'ai pu voir.

Après le *Traité de Bave et d'éternité*, la production cinématographique d'Isou tourna court. D'une part, l'imagination faisait défaut et d'autre part, la mise en œuvre de la pellicule exigeait un investissement important, sans compter le travail en laboratoire et en studio. Les fidèles d'Isidore Isou commençaient à lui tourner le dos, cherchant surtout à dépasser le maître, mais comment améliorer la médiocrité ? Toujours en 1951, Gil Wolman avait présenté *L'Anticoncept*, également au palais de Chaillot, tandis que Gabriel Pomerand réalisait *La Légende visible*, sur des images de Léonor Fini. Quant à François Dufrêne, son film *Les Trompettes du jugement premier* avait fait l'économie de la mythique pellicule, pour se contenter d'une bande-son commentant les images de rêve que le cinéaste aurait aimé présenter.
Vint Guy-Ernest Debord qui annonça la sortie de son film *Hurlements en faveur de Sade*. Ce devait être l'événement cinématographique de la saison et le ciné-club du quartier latin, dans le cadre de son programme de cinéma d'avant-garde, s'était chargé de porter à la connaissance du public cette nouvelle avancée du cinéma lettriste. La salle des Sociétés savantes était comble de l'orchestre au balcon et une quinzaine de lettristes, l'air narquois, occupaient les premiers rangs. Debord, que j'avais rencontré l'après-midi, m'avait demandé d'être présent avec plusieurs de mes camarades à cette soirée qui s'annonçait comme devant être plutôt tumultueuse. J'étais friand de telles aventures et il ne me fut pas difficile de convaincre

d'autres amateurs de scandale. A l'heure dite, nous étions nombreux au balcon pour soutenir de la voix, et du geste si nécessaire, nos amis lettristes face à une contestation annoncée.

Premier acte. Présenté comme un professeur de filmologie suisse (*sic*), Serge Berna prit la parole pour présenter l'œuvre du siècle : " Mesdames et Messieurs, c'est un film profondément érotique que nous allons vous présenter ce soir. Une audace inconnue à ce jour. Une œuvre qui fera date dans l'histoire du cinéma ; le fromage après la poire. C'est tout ce que je peux laisser entrevoir pour l'instant et je vous laisse la surprise." Une fois l'obscurité faite, une annonce informait le public que les bobines n'étant pas arrivées, il fallait encore attendre quelques minutes et les veilleuses furent rallumées. Au bout d'un quart d'heure, essoufflé, Debord arriva enfin avec les boîtes de son film sous le bras et escalada prestement les marches conduisant à la cabine de projection. A nouveau l'obscurité. On put alors entendre le bruit caractéristique du projecteur et, dans le noir, une voix monocorde énumérer en guise de générique quelques dates importantes de l'histoire du cinéma avec, entre autres, la date de naissance de Guy-Ernest Debord, 1932, et la création de *Hurlements en faveur de Sade*, 1952. Silence. L'obscurité était totale et l'on entendait le ronronnement régulier du projecteur. L'arrivée des images ne pouvait tarder. Ce n'était même pas une provocation, simplement une plaisanterie tranquille. Lumière. Avec l'obscurité,

C'est pour ça que tu as été exclu avec la mention "simplement décoratif" ?

Voilà c'est ça, c'est vrai, j'étais très décoratif.

Comment avais-tu réagi quand tu as appris que…

Ah moi, je l'ai su bien après qu'on m'avait mis ça comme étiquette, ça m'a bien amusé parce qu'effectivement j'étais décoratif, avec ce pantalon blanc taché de couleurs et plein de slogans. J'ai dû être triste jusqu'à la cuite suivante, et deux ou trois jours après ça allait mieux. Je suis retourné chez Moineau, puisque à l'époque on ne fréquentait plus le quartier, on était rue de la Montagne-Sainte-Geneviève, et j'ai retrouvé les anciens copains, j'ai retrouvé Guilbert et les exclus. Et puis j'ai fait la connaissance de François Dufrêne, une semaine après c'était passé… Mais j'ai toujours regretté d'avoir été exclu, parce que Guy, je trouvais que c'était une intelligence exceptionnelle.

Mais comment s'est passée la rupture ?

Cette question, je me la suis très très souvent posée. Je n'ai jamais réussi à la résoudre vraiment. Je crois que ça s'est un peu dégradé, que Debord a été un peu plus froid pendant quelques jours et après je ne me souviens pas du tout de la rupture en elle-même.

Et comment ça se passait quand vous vous retrouviez dans le même café…

Je me souviens d'une fois où on s'est retrouvés au Monaco. Il y avait pas mal d'Américains à l'époque au Monaco, et chacun payait sa tournée, sauf les Américains. En général, quand il y avait une tournée, je ne payais pas le verre de Guy, et Guy ne payait pas le mien. Si on était six, moi je payais cinq verres, lui payait cinq verres et on se payait un verre chacun pour faire partie de la tournée. Bon, c'était le rituel, on ne s'adressait pas la parole. Jamais ne m'est venue l'idée de lui causer et lui non plus, ça ne se faisait pas ces choses-là.

Mais tu continuais à avoir des rapports avec les autres membres du groupe ?

Non, c'était interdit, on n'avait pas le droit. Les gens n'avaient pas le droit de continuer à parler aux autres, aux copains du quartier oui, mais pas aux exclus, c'était tabou.

Et combien de temps a duré ce système de vous croiser sans vous adresser la parole ?

Ça a duré très peu de temps, parce qu'après je suis parti en Algérie, où j'ai beaucoup bu, comme d'habitude. Je n'ai plus revu Guy dans le quartier après, peut-être une fois ou deux. J'avais de ses nouvelles parce qu'il rencontrait des copains, des anciens du quartier avec qui il buvait des verres et prenait une cuite, et qui me disaient : "Tiens, il y a Guy dans tel bistrot actuellement, Guy est dans tel autre, il est parti en Espagne"... Je suppose que lui, pareil, devait avoir des nouvelles des anciens, en tout cas de chez Moineau, de notre bande, par des gens qu'il rencontrait comme ça : "Jean-Michel a adhéré au Parti, Jean-Michel est trotskiste"... Il a dû savoir ces choses-là par les canaux normaux.

le silence s'était instauré. On commençait à murmurer dans la salle mais les grognements furent rapidement couverts par la bande-son qui égrenait quelques phrases plus ou moins extraites du Code pénal. A nouveau, obscurité et silence pendant une dizaine de minutes puis l'on entendit, comme une récompense, une voix désespérée : " Je ne parlerai plus qu'en présence de mon avocat ! " Suivit une nouvelle séance de silence. La plaisanterie durait déjà depuis au moins trois quarts d'heure. La contestation commençait à gagner la salle. On se lançait des invectives de part et d'autre. Un lettriste proclamait : " l'érotisme doit se faire dans la salle ", répondant ainsi à un spectateur s'étonnant de l'absence d'images croustillantes. Le public exhalait sa rancœur car il n'avait rien vu. Personne ne s'imaginait que l'auteur laisserait son monde – la séance était payante – sans lui montrer la moindre image. A la fin du compte, peut-être verrait-on un petit quelque chose, une provocation quelconque. Au fur et à mesure que l'excitation gagnait le parterre, les lettristes et leurs amis bombardaient le public depuis le balcon à coups de boules puantes et de poudre à éternuer. Les mieux équipés lançaient des préservatifs emplis d'eau. Les munitions une fois épuisées, les expectorations tinrent lieu de projectiles. Les dernières minutes se passèrent dans une obscurité totale. Personne n'était parti. La séance avait commencé vers 21 heures et, à 22 H 30, la lumière revenait définitivement sous les invectives d'une salle survoltée. L'animateur profita d'un

instant de répit pour annoncer l'ouvertu-re du débat. Toujours sérieux, Serge Berna prit la parole et développa des propos admiratifs sur Guy-Ernest Debord et son œuvre. Un spectateur, fou de rage, le prit immédiatement à parti et exigea une explication sur les raisons qui avaient poussé l'auteur à titrer son film, *Hurlements en faveur de Sade*. Très sérieux, Berna riposta qu'il y avait malentendu et que le film avait été dédié à un ami de Debord ayant pour patronyme Ernest Sade et qui exerçait l'honorable profession de souteneur dans la rue Nicolas-Flamel. Sur cette trouvaille de Berna, la séance fut levée dans un chahut indescriptible. Les let-tristes n'avaient pas perdu leur temps. Le film de Debord valait bien dix films d'Isou et l'absence d'image était tout à fait salutaire. En effet la dérive esthé-tique volontaire s'abstenait évidemment d'imposer aux spectateurs toute " écri-ture" cinématographique pouvant prêter à la critique. Pour faire table rase des notions du passé, c'était bien là ce qu'il convenait de réaliser. Provocateurs nés, certains lettristes avaient du talent dès lors qu'ils échappaient à l'influence du maître. Leur comportement quotidien servait de révélateur car ces marginaux vivaient au grand jour, sans invoquer une esthétique quelconque pour justi-fier leur démarche. Si le lettrisme a dis-paru comme forme d'expression, la trace laissée par les disciples d'Isou devait s'avérer indélébile jusque vers 1968.
Maurice Rajsfus,
Une enfance laïque et républicaine,
Manya, 1992.

Et sur le temps, évidemment, tu as entendu parler de Debord.

J'ai entendu parler de Debord au moment de *Potlatch*. Je crois que l'idée de *Potlatch* était déjà un petit peu dans l'air avant que je m'en aille, en tout cas le terme "potlatch" avait déjà été trouvé… Pendant des années, je n'ai pas suivi du tout, absolument pas.

Ce rite de l'exclusion, était calqué sur les pratiques surréalistes…

Il n'y avait pas, en fait, de rite de l'exclusion. Ce qui s'est passé, en gros, c'est qu'avant de com-mencer *Potlatch*, Guy a exclu tous ceux qu'il avait connus chez Moineau, et qui participaient, ceux qui avaient signé des textes. Ça ne veut pas dire qu'il rompait avec tout le monde. Par exemple il gardait des rapports avec Conord, avec Patrick Straram, avec Henri de Béarn même, qui fut un très grand copain de Chtcheglov. En fait il a viré à peu près toute l'équipe de chez Moineau et il est reparti avec une équipe nouvelle dans laquelle il y avait Bernstein qui était aussi chez Moineau. Il a fait le ménage plus que l'exclu-sion je crois, parce qu'il y avait une partie de jeu là-dedans. En fait, il est reparti non pas de zéro, mais il a complètement renouvelé l'équipe, en gardant des relations, parce que c'est à peu près les seules qu'il avait à Paris. Après il en aura d'autres dans d'autres circonstances, mais Guy, à Paris, je crois qu'il ne connaissait pas grand monde à part les gens de chez Moineau. Donc il repart avec des nouveaux. Même Ivan a été exclu, moi je croyais qu'il avait été exclu beau-coup plus tard d'ailleurs, enfin six mois ou un an après. Le temps est tout à fait relatif dans cette affaire. En fait j'ai appris en lisant les

JEAN-MICHEL ET FRED

PHOTO ED VAN DER ELSKEN

textes qu'il avait été exclu très rapidement. De quand date le numéro de *Potlatch* où il y a les exclusions ?

Juin 54.

Ça me permet un peu de savoir, parce que je suis incapable de dire de moi-même quand on s'est quittés Debord et moi. Si c'est juin 54 alors ça doit remonter au printemps 54.

Berna aussi a été exclu.

Oui, il a été exclu, mais lui s'en foutait complètement.

Langlais a été exclu pour "sottise".

Oui, je crois que c'est exact. Mais je n'avais pas d'accroche avec Gaëtan, je n'avais rien contre, et rien pour.

Et Chtcheglov pour "mythomanie, délire d'interprétation, manque de conscience révolutionnaire".

Chtcheglov, Guy reviendra là-dessus après. Oui, manque de conscience révolutionnaire, certainement, Chtcheglov n'a jamais été un révolutionnaire.

Qui était Chtcheglov ?

Ivan Chtcheglov c'est d'abord le célèbre attentat contre la tour Eiffel. La version qui en est donnée est qu'ils habitaient, Henry de Béarn et lui,

La Guerre de la Liberté doit être faite avec Colère

pour l'Internationale Lettriste :

Henry de Béarn, André-Frank Conord, Mohamed Dahou, Guy-Ernest Debord, Jacques Fillon, Gilles Ivain, Patrick Straram, Gil J Wolman.

INTERNATIONALE LETTRISTE, N°4, JUIN 1954

DE GAUCHE À DROITE : GUY-ERNEST DEBORD, GILLES IVAIN, MOHAMED DAHOU ET SON COUSIN

IVAN VLADIMIROVITCH CHTCHEGLOV DIT GILLES IVAIN

PHOTO GARANS

MAIS PUIS-JE OUBLIER CELUI QUE JE VOIS PARTOUT DANS LE PLUS GRAND MOMENT DE NOS AVENTURES ; CELUI QUI, EN CES JOURS INCERTAINS, OUVRIT UNE ROUTE NOUVELLE ET Y AVANÇA SI VITE, CHOISISSANT CEUX QUI VIENDRAIENT ; CAR PERSONNE D'AUTRE NE LE VALAIT, CETTE ANNÉE-LÀ ? ON EÛT DIT QU'EN REGARDANT SEULEMENT LA VILLE ET LA VIE, IL LES CHANGEAIT. IL DÉCOUVRIT EN UN AN DES SUJETS DE REVENDICATIONS POUR UN SIÈCLE ; LES PROFONDEURS ET LES MYSTÈRES DE L'ESPACE URBAIN FURENT SA CONQUÊTE.

GUY DEBORD, *IN GIRUM IMUS NOCTE ET CONSUMIMUR IGNI*, 1978

une piaule du côté du Champ-de-Mars, et que la lumière de la tour Eiffel qui clignotait les gênait beaucoup. Ils avaient donc décidé de faire sauter la tour Eiffel. Evidemment tout le monde le savait, donc les flics aussi. Et un jour ils sont partis du quartier avec une musette — je ne sais pas ce qu'il y avait vraiment dedans —, il sont partis pour faire sauter cette dame, et puis ils ont dû être arrêtés trente mètres plus loin… Mais quand on y repense… Je me suis dit plusieurs fois que dans la tête de Chtcheglov il y avait peut-être autre chose que la lumière qui clignotait qui les empêchait de dormir, parce qu'en général, dans l'état où on rentrait la nuit ou le matin, on pouvait dormir même avec une tour Eiffel au-dessus de soi.

Chtcheglov aussi ?

Chtcheglov buvait moins, je crois.

Et qu'est-ce qu'il y avait d'autre dans la tête de Chtcheglov à part la lumière qui l'empêchait de dormir ?

Il y avait à peu près toute la culture du monde. Il avait lu énormément. Il était assez jeune, mais il avait bouquiné des tas de choses, il connaissait des tas de choses, sa famille était plus ou moins intello… Je suis allé deux ou trois fois chez lui, dans le seizième, chez ses vieux parents, tout à fait classiques, tout à fait bourgeois. Je ne sais pas exactement s'ils étaient russes blancs, certainement, émigrés de je ne sais quand, vieille famille, avec une vieille épicière chez qui on allait acheter des provisions, parfois sans payer… C'était un garçon qui vivait bien dans le cadre de la famille, enfin qui vivait encore dans sa famille quand il

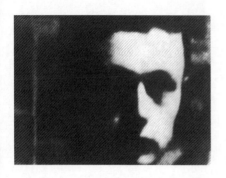

IVAN CHTCHEGLOV

voulait, il n'y avait pas de rupture, et qui avait plein d'idées. Chtcheglov avait un tic, on prenait parfois le métro et il n'arrêtait pas de dire : "J'ai un tic, j'ai un tic, j'ai un tic", et son tic c'était d'avoir un tic, de dire qu'il avait un tic, et ça pouvait durer comme ça toute une ligne de métro.

Qu'est-ce qui se dégageait de Chtcheglov au premier contact ?

Une espèce de sourire et une envie de se foutre de la gueule du monde assez poussée, manifestement.

Et quand on l'approchait de plus près ?

On avait toujours l'impression qu'il se foutait de la gueule du monde, qu'il ne prenait pas ça très au sérieux cet univers. Est-ce que ça a un rapport avec ce qu'il a vécu plus tard ? Je ne sais pas. Mais déjà moi je sentais qu'il était comme moi, qu'il n'était pas de ce monde…

Mais tu le sentais quand même différent.

Oui, il venait d'autre part… Mais on était tous différents, il n'y avait pas deux individus qui se ressemblaient chez Moineau. En tout cas, il n'avait pas l'air plus "fou" que les autres de la bande.

Que s'est-il passé exactement ?

Il a commencé, avec Gaëtan d'ailleurs, peut-être sous l'effet de l'alcool, peut-être sous son effet à lui, à voir des lamas tibétains un peu partout et à devenir plus Planète et plus surréaliste... Ça n'était pas la ligne de Guy Debord, qui était très particulière. Ivan a donc été exclu. Plus tard, il s'est marié avec Stella, et un jour qu'il avait beaucoup bu, il a démoli tout un bar. C'est vrai qu'il avait sûrement des problèmes de comportement, on ne sait pas, on ne peut pas savoir, on l'a tellement tué à l'hôpital, entre l'insuline et les électrochocs, qu'évidemment on aurait rendu fou quelqu'un qui ne l'était pas. Notre idée à l'époque c'était que ça n'est pas parce qu'un type complètement ivre démolit toute une salle de billard qu'il faut appeler les flics et le faire interner de force. Et sa nana, Stella, a signé ce qui s'appelle un permis d'interner volontaire, qui est un permis tout à fait involontaire, et Ivan s'est retrouvé dans un hôpital psychiatrique. Il avait des permissions de sortie mais il y retournait de lui-même. C'était un type qui avait encore de beaux restes, mais très abîmé. Il avait été défini comme schizophrène. C'était l'époque des comas insuliniques et des électrochocs, et il en parlait avec un lyrisme splendide.

IVAN CHTCHEGLOV
PHOTO GARANS

Quels étaient les rapports de Chtcheglov avec Debord ?

Debord et lui étaient très proches l'un de l'autre ; il écoutait énormément Chtcheglov, énormément. Chtcheglov avait déjà ses idées, je crois qu'il a beaucoup aidé Guy à trouver quelque chose, à avancer dans cette affaire d'urbanisme, de lien entre l'art et la vie. Ivan avait vraiment des idées, des idées toutes personnelles. C'était un peu un voyant, oui, c'était un voyant, quelque chose comme ça.

Justement, la dérive, comment ça s'est passé au départ, vous erriez dans les rues, vous marchiez…

Les premières vraies dérives ne se distinguaient pas du tout de ce qu'on faisait en temps normal. On faisait quelques marches parfois, il y en avait une entre autres qui était traditionnelle : du quartier au quartier chinois, rue de Chalon, c'est-à-dire derrière la gare de Lyon. On bouffait là parce que ça n'était pas cher ou on s'arrêtait quelquefois en route du côté de Saint-Paul pour acheter des anchois salés, ce qui nous donnait énormément soif, et puis on revenait comme on pouvait. Il y en avait qui revenaient, il y en avait qui ne revenaient pas, il y en avait qui s'écroulaient en route. On fréquentait aussi le quartier espagnol, qui était le long du canal, à Aubervilliers. On y allait pour finir ou pour commencer des soirées. Il y avait du chorizo, de la paella. C'étaient des vieux bistrots de prolos, surtout des gars qui étaient venus après la guerre d'Espagne, des Républicains espagnols. Nous on était assez bien vus parce qu'on buvait énormément, mais c'est le genre de lieu où on n'est jamais arrivés vraiment à jeun, et dont on est toujours repartis ivres morts.

Il n'y avait donc pas, au départ, de réflexion théorique sur la dérive ?

Au début, pas vraiment. Le hasard, par exemple, a joué un grand rôle : lors de la grève des chemins de fer, pendant l'été 1953. C'était une période tout à fait spéciale ; les trains étaient en grève et aussi les transports en commun à Paris. Beaucoup faisaient du stop, il y avait des camions militaires qui transportaient les gens. Donc, pendant ces quelques jours-là, le stop était devenu une façon tout à fait normale de se promener dans Paris. On

GARANS, YOURA, CLAUDE CLAVEL, SACHA STRELKOFF

PHOTO ED VAN DER ELSKEN

JEAN-CLAUDE GUILBERT, ELIANE ET JEAN-MICHEL MENSION

PHOTO GARANS

allait à la gare de Lyon, dans le hall, pour soutenir les grévistes, pour se foutre de la gueule des gens qui attendaient. On ne pouvait pas rester très longtemps car on se serait fait taper dessus.

Les premières dérives que j'ai faites, c'était avec Guy, Eliane et sa copine Linda. C'était simple : on faisait du stop, au bout de cinq voitures on s'arrêtait, Guy achetait dans un bistrot des bouteilles de vin qu'on buvait, et on repartait; on faisait ça jusqu'au moment où on était complètement soûls. Ça n'était pas vraiment très très poétique. Moi, à l'époque, je trouvais ça fatigant de marcher. Mais on marchait dans les rues du quartier : quand on faisait la manche on était bien obligés de marcher. Mais quand on partait au quartier chinois c'était vraiment l'expédition héroïque, et Aubervilliers encore pire. Il ne faut pas oublier qu'on était soûls, et les distances ne sont pas les mêmes quand on est soûl : on ne marche pas droit, c'est beaucoup plus long.

Et puis fin 53, vous êtes passés de chez Moineau à la rue de la Montagne Sainte-Geneviève, que vous appeliez la rue de la Montagne Geneviève.

Voilà, c'est ça, jamais de saints bien sûr, ce qui fait que tout le monde se mélangeait… Je ne sais pas comment on a atterri là, si Guy avait un projet précis. Plus tard il a eu un projet précis par rapport au treizième. L'idée, c'était de dériver dans le treizième. C'était un très vieux quartier, avec déjà des immeubles qu'on rasait, bref un des premiers quartiers où un nouvel urbanisme a sévi, pourtant c'était un coin intéressant. C'est le premier quartier qui ait été systématiquement démoli, transformé. C'était très ouvrier, avec des usines, très populaire, très P.C., très à gauche. Comme sur les boulevards des Maréchaux, où il y avait des constructions quasiment imprenables, les flics n'y

29 numéros de *Potlatch* ont été publiés en 27 livraisons du 22 JUIN 1954 au 5 NOVEMBRE 1957 (le numéro 9-10-11 du 17 au 31 août 1954 étant triple). Du numéro 1 au numéro 21, *Potlatch* s'intitule "bulletin d'information du groupe français de l'Internationale lettriste", puis, jusqu'au dernier numéro, "bulletin d'information de l'Internationale lettriste". Jusqu'au n° 9-10-11, *Potlatch* a été publié de façon hebdomadaire (paraissant tous les mardis). A partir du n° 12 il devient mensuel. Puis, à partir du n° 26, il cesse d'être publié mensuellement. Ses rédacteurs en chef ont été successivement : André-Franck Conord (n°1-8), Mohamed Dahou (n° 9-18), Gil J Wolman (n° 19), Mohamed Dahou (n° 20-22), et enfin Jacques Fillon (n°23-24). Les derniers numéros ont paru sans mention de rédacteur en chef. *Potlatch* se présentait sous la forme de feuillets de format 21 x 31 cm, tapés recto verso à la machine et ronéotypés. Les feuillets étaient agrafés ensemble dans le coin supérieur gauche. Sa pagination a été variable, allant de 1 à 4 pages et son tirage évolua de 50 à 500 exemplaires. Il n'a jamais été vendu. Le 15 juillet 1959 parut le premier (et unique) numéro d'une "nouvelle série" de *Potlatch*, sous-titré "informations intérieures de l'Internationale situationniste" (Rédaction : Henri Polaklaan).

foutaient pas les pieds. Il y avait aussi les Halles, mais les Halles c'est un peu différent... Je ne sais pas si cette espèce de transplantation de chez Moineau à chez Charlot, rue de la Montagne Sainte-Geneviève a été voulue par Guy, mais ça m'étonnerait que ça se soit fait par hasard...

Charlot était le bistrot qui était juste à côté du 32 de la rue de la Montagne Sainte-Geneviève ?

Non, c'était ça Charlot : le siège social c'était le bistrot, c'est là où on se retrouvait, un peu là, un peu au quartier pendant un temps, et un jour Guy a décidé que... ou on a décidé, mais c'est sans doute une proposition de Guy, que de toute façon on n'irait plus au quartier, et tous ceux qui allaient au quartier ne faisaient plus partie du groupe. Mais il y avait des gens qui venaient nous voir, il y avait Michèle Bernstein, qui à l'époque n'était pas officiellement du groupe, il y avait des anciens de chez Moineau, Ghislain qui est venu quelquefois, Guilbert qui venait prendre des cuites...

Tu dis que Michèle Bernstein ne faisait pas encore partie du groupe. C'était en quelle année ?

Quand moi je l'ai connue chez Moineau, en 52, elle venait quasi-quotidiennement, mais elle travaillait, c'était quelqu'un de sérieux. Je crois qu'elle suivait encore des études et travaillait en même temps. Je l'ai connue à peu près à la même époque que Guy, mais elle n'était pas du groupe, et en 53 non plus, je crois. En tout cas elle n'a signé aucun des textes de l'I.L. Elle a signé dès le début de *Potlatch* et elle est rentrée officiellement dans le groupe à ce moment-là. Guy et Michèle se sont mariés très rapidement, en août 54.

Vous saviez qu'ils s'étaient mariés ?

Oui. Je l'ai su parce qu'il n'y avait pas d'étanchéité avec le nouveau groupe de Guy au moment où j'ai été exclu. Certains copains, qui eux n'avaient jamais fait partie du groupe continuaient à fréquenter Guy, à boire avec lui. Il y avait Sacha, il y avait Guilbert, pas de rupture donc. Jusqu'à mon départ sinistre en Algérie, début 56, j'ai toujours eu régulièrement des nouvelles de Guy.

Le nom de Michèle Bernstein apparaît juste après ton exclusion, c'est-à-dire dans le n° 3 de Potlatch, *en juillet 1954.*

Voilà, c'est ça. J'ai le souvenir d'un après-midi où l'on avait bu tous les trois. Je leur avais dit qu'ils étaient faits l'un pour l'autre, en gros qu'il fallait qu'ils se marient, et… je pensais que c'était quelque chose de raisonnable. Guy avait une culture prodigieuse et puis des idées assez extraordinaires pour l'époque, même pour l'époque qui a suivi d'ailleurs, et puis Bernstein, totalement différente, avait une culture classique exceptionnelle, elle savait des tas de choses. Pour moi, à l'époque, et pour d'autres, c'était un vrai dictionnaire, elle venait d'un milieu très cultivé.

Comment était-elle perçue dans le quartier ?

Comme une emmerdeuse. Elle était perçue comme quelqu'un d'à part, parce qu'elle travaillait. Elle travaillait à mi-temps, des boulots d'étudiante…

POTLATCH N° I PAGE I

Mais c'était pratique qu'elle travaille.

Oui, parce qu'elle avait toujours un petit peu de sous.

Elle les dépensait avec vous pour boire ?

Oui, absolument, elle était très bien. Je me souviens être arrivé avec Joël Berlé un matin, vers onze heures, midi, et elle était déjà là parce qu'elle déjeunait chez Moineau, le bistrot le moins cher de Paris. Immédiatement, elle nous payait des petits rouges... Mais c'était quelqu'un d'un peu particulier... Elle était attirante, et puis c'était plaisant de temps en temps d'entendre parler d'auteurs, de choses différentes. Mais Michèle avait un petit air mondain qui n'était pas de notre famille. Elle faisait un peu "beaux quartiers" si on veut. Mais on l'aimait bien, on la trouvait insupportable, mais je crois me souvenir qu'on l'aimait bien.

Et comment ont-ils réagi quand tu leur a conseillé de se marier ?

Ils ont dit : "Bon." Et Guy a repris un verre... Je le revois très bien, avec son sourire un peu..., un peu futé. Je ne sais pas si c'était déjà dans leurs têtes, s'ils avaient déjà ces idées-là. Moi j'avais dit ça tout à fait naturellement, ça me semblait être un alliage assez extraordinaire.

Mis à part Michèle Bernstein, quelles étaient les filles qui étaient autour de vous à l'époque ? Il y en avait beaucoup ?

Chez Moineau il y en avait, oui.

MICHÈLE BERNSTEIN ET GUY DEBORD
SUR LE BALCON DE L'HÔTEL DE LA RUE RACINE
PHOTO JACQUES FILLON

Peux-tu préciser?

Avant d'être avec Eliane, j'ai vécu avec Sarah Abouaf, qui a signé quelques textes... Elle habitait en banlieue, dans un foyer de jeunes juives dont les parents étaient morts en déportation. Elle a atterri au quartier je ne sais pas comment. Bref, je suis tombé sur elle, elle est tombée sur moi et elle est donc venue chez Moineau.

Elle était mineure?

Oui oui, d'ailleurs elle s'est fait piquer, et a été envoyée en maison de correction... Après, sa sœur, qui était encore plus jeune qu'elle, est arrivée pour m'expliquer ce qui s'était passé quand Sarah était passée en jugement... et du coup la petite sœur est restée au quartier. Je l'ai amenée chez mon vieil ami Raymond Hains et elle a succédé à sa sœur. Elle s'appelait Sylvie, je crois. Et puis il y avait des femmes qui passaient, des femmes qui venaient. Souvent elles venaient chez Moineau comme elles seraient allées au Mabillon, ça dépendait du copain qui les alpaguait. Certaines restaient des vingt-quatre heures, d'autres sont restées plus longtemps, d'autres sont restées très longtemps. Et puis il y avait d'autres dames beaucoup plus âgées, enfin elles devaient avoir vingt-cinq ans ou un petit peu plus. Tu avais des filles qui bossaient, deux femmes assez extraordinaires en particulier, qui bossaient à l'Hôtel des Impôts sur la place Saint-Sulpice, et puis quelques dames qui étaient un peu michetonneuses, qui se faisaient un peu entretenir de-ci de-là, comme Marithé, la serveuse, et même quelques vieilles dames, dont une qui attendait impatiemment de pouvoir choper un ivrogne sur le coup de six heures du matin pour l'emmener. A peu près tout le bistrot de chez Moineau y est passé, une dénommé Germaine.

Toi aussi ?

Oui, mais il y en avait deux, moi je me suis fait avoir par une, mais j'ai réussi à éviter la seconde. Et puis il y avait l'habilleuse de la troupe de Jouvet, qui avait fait la tournée avec lui en Amérique latine pendant la guerre et avait atterri là on sait pas comment. Il y avait une fille qui était poinçonneuse du métro. C'est un copain qui un jour l'avait amenée : elle avait laissé sur le siège son truc à poinçonner les billets et elle était partie, elle avait quitté le métro, elle était chez Moineau.

De toute façon, en vivant cette vie, vous aviez plus de possibilités de rencontrer des filles que les garçons de votre âge.

Oui, l'activité sexuelle était plus importante que la moyenne nationale, certainement. Naturellement on n'était pas fidèles, ni par principe, ni par tendance — personne ne l'est par tendance, et nous, on ne l'était pas non plus par principe. Il est donc bien évident qu'au bout de quelque temps tout le monde avait fait un petit bout de route avec la plupart des gens. Pas avec tous, mais en fait tout le monde avait eu deux, trois, quatre, cinq histoires successives. Toutes les filles ont couché avec Feuillette, parce que Feuillette était un homme public : c'est Feuillette qui était facile, pas les filles.
Mais il y avait aussi la question de l'homosexualité. Dans la bande, le vieux Serge était bisexuel, Raymond Hains est homosexuel, François et Spacagna aussi à des moments, Joël, moi...

Ça s'affichait ?

Oui, ça faisait partie des jeux de l'époque, il fallait tout faire, tout essayer. Mais les vieux, Guilbert par exemple, n'aimaient pas tellement les pédés.

Et tu as tout essayé ?

Oui, enfin pas tout, j'ai dû en rater quand même. Il faut aussi considérer que les autres me voyaient un peu en Rimbaud, à l'époque ; ils me faisaient jouer le jeu. Orlando, un cinéaste brésilien qui était venu tourner un film à Paris et qui est resté plusieurs années chez Moineau avant de retourner là-bas, était amoureux de moi, il m'appelait l'archange. Mais le cercle des gens qui considéraient que l'homosexualité était quelque chose de parfaitement sain, de parfaitement normal, était quand même restreint. Dans le quartier, il y avait aussi ceux qu'on appelle les truqueurs, qui faisaient la ronde pour casser la gueule des homos ; c'était un truc à la mode à l'époque.

Quelle perception aviez-vous des artistes dans la tribu ?

La première chose qu'on disait des peintres, ça n'était pas très théorique, c'était : "Il y a un cocktail demain soir à telle galerie dans telle rue"… Donc les peintres c'était d'abord pour nous une occasion de boire, et de manger aussi : on essayait de ne rater aucun des cocktails importants. C'était la première fonction des peintres, essentiellement utilitaire. Sinon, il n'y avait pas de théorie à l'époque, je ne crois pas. On considérait qu'ils étaient gentils, il y en a qu'on croisait, mais c'était un autre monde pour nous. Je me souviens de Dominguez, un grand Espagnol qui buvait comme un trou. On aimait bien Fonta parce qu'il buvait aussi comme un trou et nous payait à boire. C'était un très mauvais peintre, genre aquarelle, très mauvais, un vieillard du point de vue peinture. Je me souviens de Michaux aussi, mais on regardait à peine. On n'en avait pas après les peintres en général, on en avait après les surréalistes. C'était le meurtre du père, bien évidemment, on les traitait de flics...

ORLANDO
PHOTO GARANS

Qu'est-ce que vous connaissiez, à l'époque, du mouvement surréaliste, de son histoire, de Breton et des autres ?

Ce que j'ai connu d'abord, je ne suis pas le seul, c'est le bouquin de Nadeau, *Histoire du surréalisme*. Moi je ne savais pas grand-chose, j'avais lu des choses de-ci de-là, un peu Breton, mais pas les textes politiques, j'avais lu Prévert, Queneau, mais ce n'était pas exactement des surréalistes. Et puis, comme tout le monde, comme tous ceux qui venaient du stalinisme, Eluard et Aragon, et même certains de leurs vieux textes. Mais les surréalistes étaient plutôt une sorte de légende pour moi, c'était plutôt des vieux qui avaient essayé de faire des choses et qui avaient échoué.

C'était ton point de vue à l'époque ?

Oui, mais il faut dire que j'étais tout à fait capable de condamner quelqu'un sans en avoir jamais lu une ligne. Je pouvais parler pendant deux heures d'un film, d'un individu, avec un motif tout à fait digne : me faire payer à boire. Dans les bistrots tu apprends à suivre plusieurs

Présenté le 11 février 1952 et immédiatement interdit par la Censure pour des motifs demeurés vagues, le premier film de Gil J Wolman *L'Anticoncept* n'a pu être revu, depuis, même en exploitation non commerciale.

Ce film qui marque un tournant décisif du cinéma est défendu au public par une commission composée de pères de famille et de colonels de gendarmerie. Quand on ajoute à l'aveuglement professionnel du critique les pouvoirs du flic, les imbéciles interdisent ce qu'ils ne comprennent pas.

L'Anticoncept est en vérité plus chargé d'explosifs pour l'intelligence que l'ennuyeux camion du *Salaire de Clouzot*; plus offensif aujourd'hui que les images d'Eisenstein dont on a eu si longtemps peur en Europe.

Mais le côté le plus ouvertement menaçant d'une telle œuvre est de contester absolument les critères et les périssables convenances de ces pères de famille et de ces colonels de gendarmerie; de rester, à l'origine des troubles qui viendront, quand les censeurs fantoches seront oubliés.

GUY-ERNEST DEBORD,
Internationale lettriste n° 3, août 1953

discussions à la fois, et donc j'écoutais les gens parler… Le seul film de l'époque dont je me souvienne, c'est *Rashomon*. C'est Michèle Bernstein qui m'avait emmené voir ce film sur le Boul' Mich'. Je crois que c'est la seule fois où je suis allé au cinéma en un an ou deux, on n'allait pas voir les choses, on n'avait pas besoin de ça.

Vous n'alliez jamais au cinéma?

Non non. Guy y allait peut-être de temps en temps, tout seul, pour voir un truc ou l'autre, mais le reste de la bande n'allait quasiment pas au cinéma, ou alors on allait au cinéma pour faire tout à fait autre chose que regarder le film.

Les lettristes, Isou, Wolman et Debord, ont pourtant joué un rôle non négligeable dans le cinéma dans les années 50-52.

Le film de Debord c'était parfait. J'ai vu *L'Anticoncept*, le film de Gil bien après, à Beaubourg, mais j'avais lu le texte dans *Ion*. Je trouvais ça très beau. Pour moi, de toute façon, le cinéma, comme les autres formes artistiques, c'était tout à fait dépassé, il fallait trouver autre chose. Et dans l'optique lettriste, j'étais prêt moi aussi à faire un film. D'ailleurs j'ai commencé à écrire des phrases et puis je les ai perdues bien évidemment, une nuit, je ne sais où, dans une ivresse quelconque. Donc je n'ai jamais été cinéaste, sinon j'aurais fait un film comme Dufrêne, sans images, sans rien du tout.

C'est pourtant un tract contre Chaplin qui marque
la rupture entre l'aile gauche du lettrisme et Isou.

Oui, oui, mais ça n'est pas tellement en tant
qu'acteur ou cinéaste qu'on l'a dénoncé. C'est
parce que Chaplin avait reçu une médaille des
mains du préfet de police et ça, c'était parfaitement inacceptable. Il fallait donc démolir Charlot, mais c'était un truc très directement
politique.
Pareil pour Breton, on l'attaquait pour des raisons politiques : globalement, il ne s'était pas
très bien conduit…

C'est-à-dire ?

On ne savait pas exactement, on ne connaissait
pas tout, mais il avait été speaker à la radio aux
Etats-Unis, pendant la guerre. Evidemment,
tout le monde disait que c'était une radio de la
C.I.A. , différentes choses comme ça. Enfin le
surréalisme tel qu'on a pu le ressentir à cette
époque-là, c'était une décrépitude, ça se cassait
la gueule, ça n'était plus du tout ce que ça avait
été.

Et d'une certaine manière vous représentiez la
relève.

Absolument. En plus je crois que, vraiment, il y a
eu à ce moment un creux, sur le plan politique.
Par la suite les surréalistes ont joué un rôle tout à
fait important dans l'appel des 121 pendant la
guerre en Algérie. Mais Breton était quand
même mouillé dans l'affaire des citoyens du
monde si je ne me trompe pas. On avait cette
vision d'une certaine déchéance de Breton, et
peut-être que si on lui en voulait tellement, ça

FINIS   LES   PIEDS   PLATS

Cinéaste sous-Mack Sennett, acteur sous-Max Linder, Stavisky des larmes des filles
mères abandonnées et des petits orphelins d'Auteuil, vous êtes Chaplin, l'escroc
aux sentiments, le maître-chanteur de la souffrance.

Il fallait au Cinématographe ses Delly. Vous lui avez donné vos oeuvres et vos
bonnes oeuvres.

Parce que vous disiez être le faible et l'opprimé, s'attaquer à vous c'était ·atta
quer le faible et l'opprimé, mais derrière votre baguette de jonc, certains sen-
taient déjà la matraque du flic.

Vous êtes"celui-qui-tend-l'autre-joue-et-l'autre-fesse" mais nous qui sommes jeunes
et beaux, répondons Révolution lorsqu'on nous dit souffrance.

Max du Veuzit aux pieds plats, nous ne croyons pas aux "persécutions absurdes " dont
vous seriez victime. En français Service d'Immigration se dit Agence de Publicité.
Une conférence de Presse comme celle que vous avez tenue à Cherbourg pourrait lan-
cer n'importe quel navet. Ne craignez donc rien pour le succès de Limelight.

Allez vous coucher, fasciste larvé, gagnez beaucoup d'argent, soyez mondain (très
réussi votre plat ventre devant la petite Elisabeth), mourrez vite, nous vous ferons
des obsèques de première classe.

Que votre dernier film soit vraiment le dernier.

Les feux de la rampe ont fait fondre le fard du soi-disant mime génial et l'on ne
voit plus qu'un vieillard sinistre et intéressé.

Go home Mister Chaplin.

l'Internationale Lettriste :

SERGE BERNA   JEAN-L. BRAU

GUY-ERNEST DEBORD   GIL J WOLMAN

TRACT CONTRE CHAPLIN

n'était pas seulement parce que c'était le père, mais parce que c'était un père déchu. Il devait y avoir un peu cette vision-là.

On a fait une fois une longue marche pour aller perturber le vernissage d'une exposition des surréalistes à l'Etoile Scellée. J'étais avec Jean-Louis Brau... Bull Dog Brau. Bull Dog, c'était un surnom. Les boxeurs en avaient des pareils, et à une époque on a tous eu deux prénoms. Moi j'en avais déjà deux donc ça n'a rien changé, mais Berlé s'appelait Pierre-Joël, Debord Guy-Ernest, Wolman Gil J, et puis Bull Dog Brau, parce qu'il racontait beaucoup d'histoires de boxe. C'était une des ses grandes combines pour rentrer dans les conversations de bistrots et se faire payer à boire. Il intervenait au milieu d'une discussion de gars qui parlaient de boxe et il était capable de parler pendant des heures. Il connaissait très bien la boxe, je ne sais plus exactement pourquoi... Bref, c'était une longue marche dans le quartier, on a dû faire vingt-cinq bistrots en buvant des cocktails Legros, ce qui était tout à fait mortel.

C'est quoi le cocktail Legros ?

C'est tout simple : c'est un pastis, mais au lieu de mettre de l'eau dedans on met du rhum. Le rhum remplace l'eau. De temps en temps on ajoutait du Cynar, une mixture absolument ignoble, une espèce de truc italien, d'apéritif à l'artichaut, pour donner un petit peu de goût. Donc on en buvait un par bistrot. On s'est retrouvés évidemment au commissariat avant d'arriver à la galerie de l'Etoile Scellée. Mais on déniait aux surréalistes le droit de se présenter encore comme surréalistes dans une galerie du quartier. On était de toute façon obligés d'en dire du mal. Il me revient à l'esprit qu'on rencontrait quelquefois un vieux monsieur, Tristan Tzara. On le rencontrait, et on l'injuriait plutôt.

Où est-ce que vous le rencontriez ?

Essentiellement au Bouquet. Il jouait aux échecs. Il y avait trois marches qu'on montait et là plusieurs tables avec des joueurs d'échecs, qui jouaient toute la journée. C'était au coin de la rue des Ciseaux et de la rue du Four, à trente mètres de chez Moineau.

Tu as un souvenir du genre d'insultes ?

Ça devait être assez grossier je pense, on l'insultait plus comme dadaïste que comme stalinien, parce que c'est toujours pareil : dadaïstes, surréalistes, les premiers ennemis... En plus, Tzara était stalinien, il était au P.C. depuis longtemps.

Evidemment, tu n'avais pas lu Tzara.

Je ne sais pas, j'avais peut-être lu deux ou trois trucs de l'anthologie...

Mais ça ne t'empêchait pas de l'insulter.

Absolument pas. J'ai insulté Péret, je n'avais jamais lu Péret, et je pense pourtant que Péret est un très très grand. J'ai insulté un type beaucoup moins connu, un dénommé Iliazd, essentiellement au bar du Bonaparte, qu'il fréquentait, parce qu'on refusait d'admettre qu'il avait fait de la poésie ressemblant étrangement au lettrisme dans les années vingt.

La Nuit du Cinéma

L'histoire du cinéma est pleine de morts d'une grande valeur marchande. Alors que la foule et l'intelligence découvrent une fois de plus le vieillard Chaplin et bavent d'admiration au dernier remake surréaliste de Luis Bunuel, les lettristes qui sont jeunes et beaux poursuivent leurs ravages :

Les écrans sont des miroirs qui pétrifient les aventuriers, en leur renvoyant leurs propres images et en les arrêtant.
Si ont ne peut pas traverser l'écran des photos pour aller vers quelque chose de plus profond, le cinéma ne m'intéresse pas

Jean-Isidore **ISOU**

Avril 1951 :

TRAITÉ DE BAVE ET D'ÉTERNITÉ

C'est fini le temps des poètes
Aujourd'hui je dors

Gil **J WOLMAN**

Février 1952 :

L'ANTICONCEPT
(interdit par la censure)

« Les yeux fermés j'achète tout au printemps. »

Guy-Ernest **DEBORD**

Juin 1952 :

HURLEMENTS EN FAVEUR DE SADE

En cours de réalisation :

LA BARQUE DE LA VIE COURANTE
de Jean-Louis **BRAU**

DU LÉGER RIRE QU'IL Y A AUTOUR DE LA MORT
de Serge **BERNA**

NOUS FAISONS LA RÉVOLUTION
A NOS MOMENTS PERDUS

Est-ce qu'on peut dire que la mauvaise foi était une part constitutive de la tribu ?

Oh oui, on peut le dire ; de bonne foi, je reconnais que la mauvaise foi était une part constitutive…

Qu'est-ce que ça t'a fait, des années plus tard, alors que tu étais engagé dans un autre itinéraire – parti communiste, ensuite militant trotskiste –, quand tu as commencé à entendre parler de Debord publiquement ?

J'ai essayé de suivre un peu, mais je crois que je n'ai lu *La Société du spectacle* que vingt ans après sa parution. Un jour, je me suis décidé à le lire quand même… Ses *Mémoires*, je ne me rappelle plus quand ils sont sortis, mais j'ai dû les lire bien plus tôt…

C'est en 58…

Je ne les ai pas lus en 58, mais quelqu'un m'a prêté ce livre, je l'ai lu assez rapidement. C'était notre période, avec la photo d'Eliane sur son tabouret de bar, avec ma photo avec Eliane et Pépère qui revenait de Cayenne…

Et dans ce livre-là, tu retrouvais le sentiment qui vous habitait à l'époque ?

Oui, un peu de nostalgie, un peu de mélancolie, oui, ça reflétait assez bien les choses, y compris le côté… Si tu étais rentré chez Moineau à l'époque, à certains moments, tu te serais dit : "Mais ces gens-là, c'est des jeunes gens très gentils", parce qu'on chantait beaucoup de chansons… Il y avait Midou qui jouait de la guitare de temps en temps, très doux, on était très doux parce qu'on avait fumé et qu'on avait bu, et il y avait pas mal de chansons médiévales, *Le Roi Renaud*, des trucs comme ça. A l'époque, les gens ne connaissaient pas... Et puis il y avait beaucoup de chansons de Mac Orlan. Notre chanteuse préférée, c'était déjà Germaine Montero, c'est un peu moi qui avait introduit *La Complainte de Margaret*, différentes choses comme ça... Il y avait un petit peu ce côté rétro chez Guy, il aimait bien... "Bernard, Bernard, cette verte jeunesse"... Ce côté-là, ce côté "réac" si on veut, le refus du monde moderne... Le vieux Paris, les vieilles maisons, les vieux machins, les vieilles chansons. Gil aussi, d'ailleurs, aimait bien ça. Pour en revenir à Guy, je n'ai pas suivi du tout. Ça m'a beaucoup étonné sur le moment, je ne voyais pas du tout Guy avec trois mille personnes autour de lui, ça n'était pas son genre à mon avis. Après j'ai un peu suivi, mais le situationnisme en 68 — enfin pas pour moi parce que je n'étais pas en fac, je n'étais pas étudiant, j'étais beaucoup plus âgé — c'était quand même l'ennemi, on voyait ça comme anti-marxiste. Anti-marxiste, façon de parler parce que Marx, entre-temps, bien évidemment, Guy l'avait lu et étudié, et il tentait de le dépasser; le fond marxiste chez Guy est évident. Mais c'était du spontanéisme, un danger pour les trotskistes, organisés, léninistes, enfin bref, c'était anti-léniniste... et donc Guy était l'ennemi. Mais moi ça ne m'a jamais gêné. Je n'avais aucun rapport avec ce que racontaient ou ne racontaient pas les jeunes camarades trotskistes qui avaient 18-20 ans en 68, pour qui le situationnisme c'était les mecs qui avaient occupé je ne sais plus quelle fac. Eux les ont vus comme des adversaires politiques, mais ils ne connaissaient absolument pas les prémices de l'affaire à l'époque.

Ils connaissaient ton passé ?

Quand je suis rentré, non, ils ne savaient pas que j'avais connu Debord. Sauf quelques copains, mais on en parlait peu. Et puis il n'y avait pas tellement de rapports entre le Debord que j'avais connu, l'époque où je traînais avec Debord et ce qu'était devenue cette horde, cette bande de situs, de pro-situs, de post-situs, que d'ailleurs Guy n'aimait pas particulièrement si j'ai bien compris.

Les situationnistes étaient très anti-J.C.R. ?

Oui, c'était l'ennemi. Dans certaines facs, c'était vraiment à couteaux tirés. Après, peu à peu, j'ai raconté que j'avais connu Guy dans une situation tout à fait différente ; comme j'apparaissais dans toute cette affaire comme un individualiste un peu farfelu, y compris chez les trotskistes, ça n'a pas étonné les gens. Mais on était en 68, plus de quinze ans après. Quand j'ai connu Debord, la plupart des gars qui ont fait 68 étaient tout jeunes. Entre moi et les jeunes qui étaient dans les comités d'action lycéenne, il y avait un monde, il y avait un fossé, il y avait un siècle ou deux… Peu à peu, les choses se sont tassées, et maintenant, quand je revois les mêmes, qui ont cinquante ans, et moi soixante-trois, on a quasiment le même âge. Mais à l'époque, j'apparaissais comme une espèce de monstre préhistorique. La plupart n'avaient jamais lu – et n'ont jamais lu d'ailleurs – *La Société du spectacle*. Pour eux, les situationnistes étaient un groupe politique adverse, et je suis même persuadé que Vaneigem était plus connu que Guy parmi ces gens-là, y compris parce qu'il y avait des idées qui pouvaient tenter quelques copains chez Vaneigem et pas chez Debord. D'abord Debord c'était imbitable, ils ne comprenaient pas.

EXTRAIT DE *LE RETOUR DE LA COLONNE DURUTTI*, 1966
LE DIALOGUE DES COW-BOYS EST DÉTOURNÉ DU ROMAN DE MICHÈLE BERNSTEIN,
TOUS LES CHEVAUX DU ROI

Et toi tu comprenais ?

Comme je te l'ai dit, je ne l'ai pas lu à l'époque, je n'avais pas le temps, on avait notre truc... Après j'ai repris, je me suis remémoré le passé, j'ai essayé de voir le développement, et ça collait un peu, c'était toujours le même... D'ailleurs, dans *In girum*, il y a des passages de *Hurlements* qui sont repris. Guy était quelqu'un de très coriace, qui se souvenait de ses souvenirs. On peut même dire que tout était là dès le départ. Debord était déjà dur, enfin très ferme sur les idées qu'il se faisait de la coexistence avec telle ou telle personne, mais je crois qu'à l'époque où moi je l'ai connu, il n'y avait encore rien de figé, tout était encore en mouvement. Il y avait une part de jeu aussi dans la façon dont on vivait, dont on avait des rapports, et puis il n'y avait pas de concurrence, même avec Brau, c'était un groupe assez unifié. Entre Gil et Guy, il y avait une répartition des terrains d'intervention. Je crois qu'ensuite il y a eu des haines nées de désaccords réels, qui ne partaient pas seulement de ruptures. Il y a certainement des zozos qui sont rentrés comme ça dans le groupe de Guy parce qu'ils étaient copains d'Untel ou d'Untel, et qui n'avaient rien à y faire, qui sont restés six mois ou un an et que Guy a virés une fois qu'il les a trouvés trop cons. Mais de mon temps, du temps de notre amitié, tout était parfaitement correct.

Donc, quand tu as lu La Société du spectacle, *bien après sa parution, tu as retrouvé certains éléments des discussions que vous aviez...*

Oui oui, en tout cas l'esprit, la recherche... L'idée pour moi a toujours été manifeste que Guy était prétentieux, très prétentieux, juste-

PORTRAIT DE GIL J WOLMAN PAR GUY-ERNEST DEBORD

ment prétentieux… Il a joué au jeu du dépassement de Marx comme beaucoup de gens ont essayé d'y jouer, à mon avis plus intelligemment que d'autres… En tout cas il a apporté quelque chose. Moi, le dépassement de Marx, j'en ai discuté je ne sais pas combien de fois… La grande théorie du jeu, les communications, toutes ces salades qui se sont écoulées assez rapidement. Maintenant, le situationnisme, la pensée de Guy, reste. A mon avis elle ne résoud absolument pas le problème de la révolution, mais c'est un tout assez cohérent, en tout cas ça va au-delà de Marx, sur certains aspects.

Est-ce que tu considères Debord comme un moraliste ?

Oui. La dernière phrase de *In girum* c'est : "La sagesse ne viendra jamais." C'est pour ça que c'est un bon moraliste, à mon avis.

C'est une phrase qu'on peut lire dans L'Ecclésiaste.

Je n'ai pas lu L'Ecclésiaste, mon éducation ne m'a pas permis de lire ça. Mais c'est un moraliste dans le sens où il donne de très mauvaises idées aux jeunes gens et aux jeunes filles, c'est très bien. Et il n'a jamais changé là-dessus. Très mauvais conseils.

Il y a d'autres phrases de In girum *qui ont dû te toucher particulièrement : "C'est une grande chance que d'avoir été jeune dans cette ville quand pour la dernière fois elle a brillé d'un feu si intense" par exemple.*

Oui, j'y ai retrouvé la façon de penser de Guy, j'ai retrouvé la bande, en partie, on y voit plusieurs personnages de notre époque commune, j'ai retrouvé sa nostalgie… Guy était quand même quelqu'un de triste : il avait une vision assez pessimiste de l'avenir, même si ça ne l'empêchait pas de se battre. Je ne sais pas si on peut dire qu'il était un peu dédoublé, mais je ne suis pas certain qu'il croyait vraiment dans la possibilité de renverser ce monde ; il croyait absolument dans la nécessité de tenter de le faire, là-dessus il était correct, mais c'était plutôt un pessimiste.

"…où notre jeunesse s'est-elle si complètement perdue, en buvant quelques verres, on pouvait sentir avec certitude que nous ne ferions jamais rien de mieux."

Voilà, on n'a jamais rien fait de mieux, on a fait autre chose, chacun. Je crois effectivement que je n'ai jamais rien fait de mieux que cette révolte-là.

"… pour la bonne raison qu'ils n'avaient aucun métier, ne s'occupaient à aucune étude, et ne pratiquaient aucun art." C'est la tribu.

Oui, c'est vrai. Il y en avait d'autres chez Moineau qui exerçaient une activité salariée, pour boire d'abord, qui avaient plus ou moins un métier, mais pas les idées que nous avions dans la tête de détruire ce monde. Ils pensaient tout simplement qu'un jour ou l'autre ils avaient fait un petit pas qui les avait amenés dans ce *no man's land*. Tout le monde était *borderline* là-dedans.

On peut dire que tout le monde l'était et pas mal d'entre eux le sont restés.

Oui, une bonne partie, bien sûr. "Ne travaillez jamais", c'était un mot d'ordre qui faisait absolument l'unanimité, et c'est l'un des premiers qui a

réapparu à Nanterre en 68. Je me souviens d'un copain, René Leibé, qui avait signé le tract Touchez pas aux lettristes, suite à l'arrestation de Berlé pour l'histoire des catacombes. Il avait des ongles de dix centimètres de long, pour bien prouver qu'il ne travaillerait jamais. Guy aussi a réussi effectivement — je crois — à très peu travailler, et à maintenir toujours cette vie d'alcoolique permanent, de penseur alcoolisé, sans faille. Moi j'ai pris une voie de traverse politique différente, j'ai travaillé, contrairement à Guy qui dit qu'il n'a pas travaillé, mais sur le fond je crois qu'on n'a pas changé. Moi je suis toujours sur les mêmes positions, même si elles se traduisent politiquement par des choix tactiques tout à fait différents. L'important, c'est de persévérer, de tenir jusqu'au bout, jusqu'à la fin. Pendant un siècle, on s'est fait avoir par les bureaucrates divers. Aujourd'hui, on a un gouvernement de plus en plus de collaboration et de moins en moins de classe. Aucun groupe révolutionnaire n'a réussi à s'imposer. Il faut tout remettre à plat, tout revoir, se faire une espèce d'hara-kiri de l'esprit : chacun doit repenser fondamentalement ses idées, son programme. Cela ne veut pas dire que tout ce qui a été fait a été inutile. Une solution existe, il faut la trouver ensemble. Je reste toujours sur les vieilles idées qu'on avait, qu'il faut absolument détruire ce monde, et pas seulement parce que Marx l'a dit et pas seulement parce que la classe ouvrière est la seule qui soit révolutionnaire jusqu'au bout ; mais parce que, comme Guy, je crois, on ne peut pas vivre, ni lui ni moi, dans cette société. Je suis toujours resté *borderline*, j'ai toujours été alcoolique…

Il y avait d'autres phrases comme le "Ne travaillez jamais" qui revenaient, qui devenaient un leitmotiv, un slogan que tout le monde reprenait?

Il y a quelques phrases qui sont d'ailleurs dans les numéros de l'I.L. Moi je me souviens des miennes : "Le problème c'est pas qu'on nous tue, c'est qu'on nous fasse vivre comme ça." Et la seule qui revenait et que Gil d'ailleurs cite, je ne sais pas où, c'est : "De toute façon on n'en sortira pas vivants." Ça c'est les deux phrases, il y en avait d'autres, mais du genre "les chinoises à Gaëtan", parce que c'était le leitmotiv de Gaëtan M. Langlais, qui a disparu très vite.

LE PROFESSEUR
GAËTAN LANGLAIS, EAU-FORTE,
POINTE SÈCHE DE LE MARÉCHAL

Est-ce que vous recherchiez une famille, en atterrissant chez Moineau?

Non, pas une famille; moi, j'ai toujours employé le mot tribu. Pour nous, à l'époque, la famille c'était très péjoratif; bon, maintenant, je comprends le truc. Mais il y avait une espèce de nostalgie du passé, d'une certaine pureté, qui n'a jamais débouché en quoi que ce soit sur une recherche quelconque pour aller vers le mysticisme, il y avait ce côté de la petite bande un peu perdue dans la nature, un petit côté moyenâgeux.

Boccace.

Un peu ça, oui, avant que le monde ne soit vraiment mauvais... En général ça n'était pas ça, en général, l'atmosphère de la tribu, c'était effectivement allons plus loin, dépassons, détruisons et dépassons, mais de temps en temps il y avait cette espèce de repli... Des moments où on se reposait un peu, pour repartir à l'assaut, à la fois d'une ou deux bouteilles, et du monde. Il nous

arrivait, quelques minutes par jour, de quasiment vivre comme des gens normaux. Moi, ce que je donne comme commun dénominateur à la tribu, ce qui nous différenciait complètement des habitués des autres bistrots, c'est que chez Moineau, si quelqu'un avait dit… — quelqu'un pouvait dire : "Je fais de la peinture" — mais si quelqu'un avait dit : "Je veux être un peintre célèbre", si quelqu'un avait dit : "Je veux devenir un romancier célèbre", si quelqu'un avait dit : "Je veux d'une façon ou d'une autre réussir", ce quelqu'un aurait été immédiatement jeté de la salle du fond sur le trottoir sans même avoir le temps de toucher la première salle. Il y avait un refus total de ce qu'on appelle… même pas du Rastignac, du "Je veux faire une carrière normale", de peintre, d'écrivain, de ceci, de cela. C'était totalement destroy. On refusait ce monde qui ne nous plaisait pas, et on ne voulait rien y faire. En revanche, on voulait être les plus intelligents possible. En tout cas, on n'avait aucun respect pour les gens qui voulaient s'établir, sauf pour Renaud, personnage fort utile parce qu'il avait un peu d'argent. Il avait atterri chez Moineau je ne sais pas comment, et il essayait d'être psychiatre. Mais sa réelle passion c'était de partir le week-end chez lui, en Belgique, et d'observer les canards col vert. Il avait écrit une thèse sur *Les mœurs sociales et sexuelles des canards col vert et de quelques autres anatidés*. Je me souviendrai toujours de ça, c'est la seule famille d'animaux que je connaisse. Je crois qu'il avait des mœurs sexuelles… il n'y a pas de mœurs sexuelles bizarres, mais je crois bien qu'il aimait bien les…

Les canards ?

Pas tellement les canards, je ne sais pas ce qu'il faisait exactement le week-end, mais en

semaine, quand il était à Paris, il aimait bien les lesbiennes. Voilà, pourquoi pas ? Mais c'était un type très gentil : il nous avait fait à tous le test Rorschach, les taches... pour s'amuser, mais nous on s'en foutait, lui aussi d'ailleurs. Moi, il m'avait dit que je ne serai jamais sérieux.

Il ne s'est pas beaucoup trompé.

Non, pas tellement. Et une autre fois il m'avait dit quelque chose de très intéressant : "Si tu ne veux pas qu'on te soigne, on ne peut pas te soigner..." C'est parfait, j'ai dit, je peux rester comme je suis.

Ces entretiens ont été réalisés du 15 janvier au 4 mars 1997 dans les cafés suivants : le Mabillon, le Mazet, la Palette, le Saint-Séverin, la Chope, et Au Petit chez soi.

L'auteur et l'éditeur tiennent à remercier les personnes suivantes pour l'aide qu'elles leur ont apportée : Grégoire Bouillier, Renaud Burel, Ginette Dufrêne, François Escaig, Louis Garans, Raymond Hains, Jacques Kébadian, Sonia Kronlund, François Letaillieur, Giulio Minghini, Jacques Moreau, dit Le Maréchal, Ori Pekelman, Maurice Rajsfus, Jacques de la Villeglé et Charlotte Wolman.

GÉRARD BERRÉBY ET JEAN-MICHEL MENSION
CHEZ MARIE JO, A L'AMI PIERRE, RUE DE LA MAIN D'OR
PHOTO GASTON

COMPLÉMENT BIBLIOGRAPHIQUE

Documents relatifs à la fondation de l'Internationale situationniste (1948-1957)
Une somme qui rassemble tous les textes rédigés par ceux qui allaient fonder l'Internationale situationnsite, depuis les premiers textes de Constant dans *Reflex* et le *Discours aux pingouins* de Jorn, en passant par les rarissimes numéros de l'*Internationale lettriste*, les tracts, le *Discours sur les passions de l'amour* de Debord, jusqu'au *Rapport sur la construction des situations*. Un ensemble de textes pour la plupart introuvables ailleurs. Edition établie par Gérard Berréby. Paris, Allia, 1985.

Potlatch (1954-1957)
"Bulletin d'information de l'Internationale lettriste", *Potlatch* a eu 29 numéros de juin 1954 à novembre 1957. Ces quelques feuilles tapées à la machine et "envoyées gratuitement à des adresses choisies par sa rédaction" se présentent comme une des plus radicales remises en cause de la société de consommation émergente et de sa culture. C'est là que se mettent en place les thèmes et le ton de la future Internationale situationniste. Paris, Allia, 1996.

Les Lèvres nues (1954-1958)
Parrallèlement à *Potlatch*, les lettristes parisiens (Debord, Wolman) publièrent dans la revue belge *Les Lèvres nues* d'importants essais sur la dérive ou le détournement. Cette revue, fondée et dirigée par Marcel Mariën, compta 12 numéros et se caractérisa autant par son exigence poétique que sa virulence politique (on lui doit l'invention des publicités détournées). Elle accueillit, outre les textes de Mariën lui-même, les écrits des francs-tireurs du surréalisme belge comme Nougé ou Scutenaire. (12 numéros sous coffret et 1 volume d'index.) Paris, Allia, 1995.

Wolman, *L'Anticoncept (1951)*
Premier film sans images, *L'Anticoncept* répond aux "poèmes sans paroles" de la génération précédente. On ne sait si c'est cette radicalité formelle ou bien le texte cru, lyrique et boule-

versé lu par Wolman pour accompagner cette succession de ronds blancs qui valut au film d'être interdit par la censure, interdiction qui n'a toujours pas été levée. Paris, Allia, 1995. Cassette vidéo du film (59 min), Paris, Allia, 1995.

Asger Jorn / Guy Debord, *Fin de Copenhague (1957)*
Né de la collaboration de Jorn avec Debord, "conseiller technique pour le détournement", *Fin de Copenhague* invente une nouvelle forme de livre, qui trouvera son aboutissement dans les *Mémoires* de Debord. Le peintre danois strie et éclabousse les pages de lignes colorées, de taches, de souillures et de coulures. Ici et là, des photographies, des réclames, des plans d'immeubles ou de villes, des caricatures, des vignettes de bandes dessinées. Tous ces éléments détachés de leur contexte d'origine contribuent à donner sa signification à l'ensemble. Paris, Allia, 1986.

CET OUVRAGE A ÉTÉ ACHEVÉ D'IMPRIMER
LE 5 MAI 1998
SUR LES PRESSES DE LA SAGIM À COURTRY
POUR LE COMPTE DES EDITIONS ALLIA

ISBN : 2-911188-71-3
DÉPÔT LÉGAL : MAI 1998